Le Prénom

Cet ouvrage a été édité avec le soutien de la SACD.

Photographies de couverture et des pages 101, 102, 103 :
© Pascal Victor

© L'avant-scène théâtre / Collection des quatre-vents, 2012
ISBN : 978-2-7498-1223-6 – ISSN : 1636-8843

MATTHIEU DELAPORTE
ALEXANDRE DE LA PATELLIÈRE

Le Prénom

Collection des quatre-vents contemporain

Alexandre de la Patellière, auteur et producteur français, est né en 1971. Fils du metteur en scène et scénariste Denys de la Patellière, il débute dans le cinéma comme assistant réalisateur. Il travaille ensuite aux côtés de Dominique Farrugia et Olivier Granier, où il dirige le développement des longs métrages chez rf2k de 1997 à 2001.

Matthieu Delaporte, né la même année, est auteur, scénariste et réalisateur pour le cinéma et la télévision. Après des études d'histoire et Sciences-Po, il réalise son premier court métrage, Musique de chambre. *Il rejoint ensuite Canal+ où il est en charge des fictions du* Vrai Journal de Karl Zéro *(1996-2001). En 2001, Alexandre et Matthieu rejoignent Onyx Films, la société de production d'Aton Soumache, pour y écrire* Renaissance, *de Christian Volckman (Grand Prix du festival d'Annecy, présélectionné aux Oscars). Depuis, toujours en collaboration, ils ont écrit de nombreux scénarios pour le cinéma et la télévision. Pour le petit écran, ils écrivent la série* Skyland, *ainsi que des adaptations : celle du* Petit Nicolas *d'après Goscinny et Sempé, et celle du* Petit Prince *d'après Saint-Exupéry. Pour le cinéma, ils écrivent ou coécrivent, notamment,* Les Parrains *de Frédéric Forestier (avec Gérard Lanvin et Jacques Villeret),* L'Immortel *de Richard Berry (avec Jean Reno et Kad Merad) et* The Prodigies, *adaptation de* La Nuit des enfants rois, *réalisé par Antoine Charreyron. En 2005, Matthieu Delaporte a réalisé son premier long métrage,* La Jungle, *écrit avec Julien Rappeneau et Alexandre de la Patellière. Matthieu prépare actuellement son deuxième film, coécrit avec Alexandre. En 2009, ils sont également les producteurs associés de* Sweet Valentine, *premier film d'Emma Luchini.*

Le Prénom *est leur première pièce.*

Préface

Vivre ensemble ?
par Olivier Celik

VIVRE ENSEMBLE n'est pas de tout repos. « L'enfer, c'est les autres », osa-t-on même écrire il y a quelque temps... Mais qui n'a pas rêvé, un jour, de faire tomber les masques, d'oublier un instant les convenances, les usages et la courtoisie pour dire enfin tout ce qu'il pense à son vis-à-vis ? Ce fantasme de l'homme en société passe en général assez vite – fort heureusement –, la vie courante et ses réalités reprenant rapidement le dessus. Mais il y a un endroit où cette sincérité-là est encore possible : au théâtre...

Avec *Le Prénom*, Matthieu Delaporte et Alexandre de la Patellière, les deux jeunes auteurs de la pièce, s'en sont donné à cœur joie ! Dans un environnement conjugal somme toute assez banal, traversé de tensions quotidiennes, quelques amis réunis pour un dîner convivial en viennent en effet à se dire leurs quatre vérités, quitte à oser faire de surprenantes révélations… C'est incisif, rapide, mordant, saignant même, et irrésistiblement drôle à la fois. La pièce a l'efficacité des évidences. Elle croque avec une remarquable acuité l'homme contemporain, dans ses petites mesquineries comme dans ses grands sentiments.

Cinq personnages sont rassemblés dans cette pièce chorale où se détache pourtant l'étonnante partition d'un quadra brillant, qui se révèle être le véritable agent provocateur du texte. Il est celui qui, en voulant faire une mauvaise blague, allume la mèche d'un grand déballage qui se déroule devant nos yeux de spectateurs et qui doit sans doute rappeler de jubilatoires souvenirs à beaucoup d'entre nous… Car en maniant avec habileté et beaucoup d'humour le jeu de la vérité, *Le Prénom* joue avec nous de la meilleure des manières, en nous rappelant que le théâtre, royaume de l'illusion, n'est peut-être pas toujours moins vrai que la vie !

O. C.

Personnages

(par ordre d'entrée en scène)

ÉLISABETH GARAUD-LARCHET
PIERRE GARAUD, *mari d'Élisabeth*
CLAUDE GATIGNOL, *ami d'enfance d'Élisabeth*
VINCENT LARCHET, *frère d'Élisabeth, ami d'enfance de Pierre*
ANNA CARAVATI, *compagne de Vincent*

La création du Prénom *a eu lieu le 7 septembre 2010 au Théâtre Édouard VII dans une mise en scène de Bernard Murat et avec la distribution suivante : Patrick Bruel (Vincent), Valérie Benguigui (Élisabeth), Jean-Michel Dupuis (Pierre), Guillaume de Tonquédec (Claude), Judith El Zein (Anna).*

Le Prénom *a été adapté pour le cinéma et réalisé par Matthieu Delaporte et Alexandre de la Patellière en 2012 avec Patrick Bruel, Charles Berling, Valérie Benguigui, Judith El Zein, Guillaume de Tonquédec et la participation de Françoise Fabian.*

Les auteurs tiennent à remercier Julie de la Patellière
pour l'aide précieuse qu'elle leur a apportée
tout au long de l'écriture.

Lieu.

Un appartement parisien.

Une entrée, un salon ouvrant sur un couloir et une cuisine qu'on ne
voit pas. Du parquet, quelques meubles chinés, une bibliothèque.
Une table basse entourée de canapés. Un fauteuil en velours rouge.
C'est le soir.

Dans le noir, le Narrateur commence à parler.

LE NARRATEUR : *(off)* Il n'y a pas le choix, c'est
comme ça… Pour venir, il faut descendre la
rue Saint-Georges, – saint Georges, qui en son
temps, victime des persécutions antichrétiennes,
fut livré à de nombreux supplices. Brûlé,
ébouillanté, puis broyé sous une roue, il
survécut miraculeusement mais finit par être
décapité… Tourner ensuite à gauche dans la
rue des Martyrs, ça ne s'invente pas, puis à
droite rue Hippolyte Lebas, du nom d'un archi-
tecte français né à Paris le 31 mars 1782, qui
s'était spécialisé dans la construction des prisons
et des bagnes… Certains y verraient un signe,

un augure, un mauvais présage peut-être, et tourneraient les talons, effrayés. Ils auraient bien tort. Car ils n'auraient pas la chance de découvrir, au bout du chemin, une petite impasse bien cachée où se niche une jolie porte laquée rouge, patinée par les années. Ils ne monteraient pas non plus les cinq étages en colimaçon, ne s'essuieraient pas les pieds sur le paillasson de crin rapporté d'un voyage en Turquie et seraient donc privés de la soirée familiale qui se déroulera précisément... ici.

La lumière s'allume brutalement. On découvre le salon, où Pierre, seul, est plongé dans un abîme de réflexion. Élisabeth entre. Elle porte un tablier de cuisine.

ÉLISABETH : Elles n'y sont pas.

Exaspération de Pierre.

PIERRE : Tu as bien regardé ?

ÉLISABETH : Elles sont peut-être restées en bas ?

PIERRE : J'ai vérifié.

Pierre et Élisabeth fouillent le salon tout en continuant à discuter, alors que le récit du Narrateur couvre, par intermittences, leurs voix.

LE NARRATEUR : *(off)* Il suffit d'observer Pierre Garaud et Élisabeth Garaud-Larchet, ne serait-ce qu'un instant, pour en être convaincu : ils incarnent à la perfection le couple idéal.

ÉLISABETH : Tu te changes, ou tu restes comme ça ?

PIERRE : *(pour lui-même)* Elles ne sont pas sur le buffet... Pas dans le vide-poches...

LE NARRATEUR : *(off)* Ils continuent, jour après jour, à se donner en secret des surnoms désuets, ne ratent jamais une occasion de danser un slow, s'épaulent avec courage pour venir à bout de mots croisés particulièrement difficiles et se laissent des petits mots quand, hasard de calendrier, l'un rate le petit-déjeuner de l'autre…

ÉLISABETH : Tu ne veux pas que je donne un coup de fer vite fait à ta chemise bleue ?

LE NARRATEUR : *(off)* Dix ans de mariage n'y auront rien changé : ces deux-là s'aiment comme jamais.

PIERRE : Mais on s'en fout de ma chemise bleue ! On s'en fout ! On cherche !

Élisabeth lève les yeux au ciel et reprend sa fouille.

LE NARRATEUR : *(off)* Pourtant, certains esprits chagrins pourraient objecter que dans ce couple-là, l'équilibre n'est qu'une façade, et que seuls les sacrifices de l'un ont permis la gloire de l'autre…

ÉLISABETH : Et dans la boîte à chaussures ? *(Pierre la regarde, perplexe.)* La boîte Minelli, dans le placard.

PIERRE : C'est toi qui les aurais mises là ?

ÉLISABETH : Maria aurait pu. Elle ne range pas, elle cache.

LE NARRATEUR : *(off)* Pierre, lui, est professeur de littérature française à l'université Paris IV, collaborateur de la collection « Jalons critiques », secrétaire général de la Société d'histoire littéraire, professeur invité à l'université Lomonossov de Moscou – semestre d'automne –, où il dispense chaque année un cycle de conférences sur les œuvres de jeunesse de Montaigne, et plus particulièrement sur l'influence du *Discours de la servitude volontaire* de La Boétie sur ses futurs *Essais*…

PIERRE : Elles sont peut-être dans la poche de ton imper ?

ÉLISABETH : Il est au pressing.

Pierre soupire lourdement.

PIERRE : Et voilà ! Elles sont sûrement au pressing !

ÉLISABETH : Ça va être de ma faute, maintenant.

Pierre, malgré tout, se remet à chercher.

LE NARRATEUR : *(off)* Élisabeth, elle, est professeur de français au lycée Hector-Berlioz à Vincennes, trésorière du club de cinéma et responsable FCPE. Elle ne s'en plaint pas : elle aime le terrain, ce sentiment d'être dans la vraie vie…

Élisabeth fouille en vain dans un placard.

ÉLISABETH : Quel bordel !

PIERRE : J'te jure, si c'est Maria, je la VIRE !

LE NARRATEUR : *(off)* Aussi loin qu'on s'en souvienne, elle a toujours été comme ça, même à 13 ans, quand elle a vu Pierre pour la première fois, à l'anniversaire de Vincent, son frère, qui avait organisé un concours de *Tequila rapido* car il voulait saouler la fille du professeur de biologie Virginie Sanchez… Tout le monde avait été malade, sauf Élisabeth, bien entendu, et Claude aussi peut-être, son meilleur ami, mais c'est elle qui avait sorti la serpillière et, sans un mot de reproche, nettoyé pendant que les autres cuvaient.

ÉLISABETH : La *harissa*, à ton avis, je la mets dans la sauce ou à part ?

PIERRE : Elle mange pimenté, Anna ?

LE NARRATEUR : *(off)* … Alors vivre dans l'ombre de Pierre ne dérange pas Élisabeth. Elle l'admire. Elle aime son regard d'esthète sur la vie, sur les choses les plus insignifiantes, sa capacité à questionner le monde en permanence, en quête de réponses nouvelles.

PIERRE : *(il continue à chercher)* Mais où est-ce que je les ai foutues… ?

LE NARRATEUR : *(off)* … Et Pierre se repose sur sa femme comme un alpiniste sur son piolet, reconnaissant de sentir sous ses doigts la force du point d'ancrage que rien ne peut ébranler.

ÉLISABETH : *(brusquement)* La semoule !

Elle sort. Pierre sort de l'autre côté. Le téléphone sonne.

PIERRE : *(off)* Tu prends ? *(Pas de réponse. Pierre revient et décroche.)* Allô… Bonsoir Françoise… Ça va, ça va et vous ? Et vous avez quel temps ? Ah, l'arrière-saison… Ils vont bien… Ils sont couchés… Myrtille a eu sa roue bleue… C'est du patin… Et Apollin toujours content, il a retrouvé sa bande… Ça s'est bien passé, les étudiants sont plutôt sympas cette année, un peu mous, mais… *Nicomaque et la règle de plomb. Fictions légitimes et illégitimes de la justice montaignienne.* *(Il rit.)* C'est vrai, je reconnais !

LE NARRATEUR : *(off)* Françoise, c'est Françoise Larchet, la mère d'Élisabeth et Vincent. C'est une femme élégante, une femme gaie, une femme qui impressionne, une femme avec une belle voix grave et beaucoup de goût pour la décoration d'intérieur. Quand elle a perdu son mari, tout le monde s'est beaucoup inquiété, mais elle a repris le dessus, forçant l'admiration des plus sceptiques…

PIERRE : … Elle voulait savoir pour le raisin… Je vous la passe. Je vous embrasse, Françoise. *(Il hurle.)* Babou, ta mère !

Élisabeth arrive en courant. Elle porte des gants de cuisine. Pierre lui donne le combiné.

ÉLISABETH : *(à Pierre)* Si ça se trouve, elles sont vraiment restées dans la poche de mon imper : impossible de me souvenir. *(Au téléphone.)* Maman ! Ça va, ça va… Quand tu fais ton tajine, tu mets les raisins avant ou… Pas trop tôt sinon ça gonfle, pas trop tard sinon ça fripe… D'accord. Hum, hum… Ah, les Rozenthal sont là ! Et lui sa hanche, ça va ? Bon tant mieux… Ils ont toujours des cadeaux pour les petits, ils sont trop gentils.

LE NARRATEUR : *(off)* Les petits, c'est Myrtille, 10 ans, et Apollin, 5 ans. Myrtille est maigre, intelligente, fragile. Elle est empreinte d'une sorte de nostalgie indéfinissable qui la rend mystérieuse et fait l'admiration de son père… Apollin aime les Playmobil et a été propre très tard, ce qui lui a valu une série de rendez-vous du mercredi avec un pédopsychiatre très connu qu'Élisabeth a trouvé « vraiment sympa », mais que Pierre a immédiatement détesté. Peut-être simplement parce que le médecin lui ressemblait trop, avec ses réponses en forme de questions, idéales pour vous renvoyer dans les cordes, saturé de culpabilité.

ÉLISABETH : Oui, ils dînent avec nous, ils viennent avec Claude… Je leur demande pour La Castide, promis… On t'appelle pour te dire… Promis… Maman, je le ferai… Rappelle si tu préfères… Mais non tu ne dérangeras pas… Maman si je te dis que… Maman, c'est moi qui te propose d'appeler, je ne te proposerais pas si… Oui, c'est ça. Bisous… *(On sonne à la porte.)* Maman. C'est eux, là. Bisous. *(Élisabeth raccroche et court vers la cuisine.)* Elle a tellement peur de déranger que ça en devient dérangeant.

Pierre va ouvrir. C'est Claude. Il porte un smoking avec une écharpe orange et un étui de trombone. Les deux hommes se font la bise et commencent à discuter.

LE NARRATEUR : *(off)* Claude Gatignol, premier trombone de l'Orchestre philharmonique de Radio France. Un homme discret, à l'humour feutré, qu'on peut plus facilement décrire par soustraction : Claude n'est pas coléreux, il n'est pas fantasque, il n'est pas malhonnête. Il n'est pas, en quelque sorte.

Claude tend une bouteille de vin à Pierre.

CLAUDE : Je ne savais pas ce qu'on mangeait. J'ai pris du rosé.

PIERRE : Babou s'est lancée dans un « buffet marocain ».

CLAUDE : Parfait, ça fera office de sidi-brahim.

PIERRE : De boulaouane, le sidi-brahim c'est algérien. Le vin colonial ! Le vin de l'OAS !

Élisabeth revient essoufflée, débarrassée de ses gants de cuisine.

ÉLISABETH : *(à Claude)* Ça va toi ?

CLAUDE : Super. Ça sent divinement bon. *(Il retient Élisabeth, sur le point de partir. Il regarde attentivement ses cheveux.)* Regarde-moi… Tu as fait un petit balayage, non ? Ça te va très bien.

ÉLISABETH : C'est gentil, parce que Pierre déteste.

PIERRE : Mais non…

CLAUDE : C'est Christopher qui t'a fait la couleur ? *(Élisabeth acquiesce. Claude a une moue admirative.)* Il est vraiment doué !

LE NARRATEUR : *(off)* … Mais on peut tout de même affirmer qu'Élisabeth et Claude sont de vrais amis, depuis bien longtemps… On peut dire aussi que Claude est un homme vers qui on se tourne quand on a du chagrin, car il a cette qualité rare d'écouter sans juger, d'étouffer des sanglots par un regard, comme s'il pouvait voir en vous comme dans un livre ouvert.

Élisabeth retourne en cuisine.

CLAUDE : Les enfants ?

PIERRE : COUCHÉS !

ÉLISABETH : *(off)* Vous avez joué quoi aujourd'hui ?

CLAUDE : Du Bartók.

Pierre retourne les coussins. Regard interrogatif de Claude.

PIERRE : Élisabeth a paumé les clés de la cave.

CLAUDE : Il y a une urgence particulière à les trouver ?

PIERRE : Ça me rend DINGUE de ne pas savoir où sont les choses !

CLAUDE : Je gagne quoi si je les retrouve ?

PIERRE : Ma reconnaissance éternelle.

Rires de Pierre et Claude.

ÉLISABETH : *(off)* C'était bien, Marseille ?

CLAUDE : C'était… inattendu. Ils m'ont proposé du travail.

Élisabeth revient dans le salon.

ÉLISABETH : Là-bas ?

CLAUDE : Ben oui, forcément… Leur trombone s'est noyé.

ÉLISABETH : Mais tu vas pas y aller ?

CLAUDE : … Ben je ne sais pas. Peut-être.

ÉLISABETH : Comment ça, peut-être ?

CLAUDE : Peut-être. Je ne sais pas. Je réfléchis.

ÉLISABETH : Moi c'est tout réfléchi, je suis contre.

PIERRE : Babou…

ÉLISABETH : C'est super loin !

CLAUDE : Mais non, c'est tout près.

ÉLISABETH : Tu m'as dit la même chose quand t'es parti à Toronto.

CLAUDE : C'est quand même beaucoup moins loin.

ÉLISABETH : Pas tant que ça.

CLAUDE : Trois heures de TGV, c'est comme habiter en banlieue.

ÉLISABETH : Les Ostria sont partis à Bougival : on ne les voit plus.

PIERRE : *(taquin)* Remarque, c'est pas plus mal.

Pierre et Claude rient, mais pas Élisabeth.

CLAUDE : Babou. Je n'ai encore rien décidé. D'accord ?

Élisabeth repart dans la cuisine, légèrement rassurée.

PIERRE : Je suis sûr que c'est sympa Marseille, au fond. Et puis tu serais tout près de La Castide, ça ferait plaisir à Françoise.

CLAUDE : Oui, j'espère…

Le téléphone sonne. Pierre décroche.

PIERRE : … Le même code que depuis dix ans, mon petit vieux. Le premier c'est « Marignan », le deuxième « Austerlitz »… Vincent, enfin, Austerlitz… *(Il secoue la tête.)* « Cher » et « Hautes-Alpes ». Département du Cher… T'es nul aussi en géo ? Allez j'ai pitié : « 1805 ». *(Il raccroche. À Claude.)* Vincent.

LE NARRATEUR : *(off)* Et voilà Vincent Larchet. Le meilleur ami de Pierre, le frère d'Élisabeth, le fils de Françoise. Vincent est un homme au physique avantageux et à la réussite éclatante, qui a fait de la petite agence immobilière paternelle « *the place to find a "demeure de prestige" in Paris* ». Un homme tangible, d'une matérialité compacte, qui n'est pas du genre à se retourner deux fois avant de traverser une rue. Un homme qui a foncé dans la vie comme un train dans la nuit, jusqu'à sa rencontre avec Anna, une femme ravissante et piquante qui l'a fait chavirer, et qui, bientôt, va lui donner un enfant. Vincent Larchet, donc, une sorte de héros des temps modernes, de corsaire du XXIe siècle… En un mot *(Un temps.)* : … moi.

Vincent entre essoufflé. Il tient deux bouteilles de vin.

VINCENT : Putain, offrez-vous un ascenseur. *(Il embrasse Pierre et lui donne les bouteilles.)* Salut… *(À Claude.)* Ça va, mon Claudio ?

PIERRE : Cheval-blanc 85, la vache !

VINCENT : Cadeau d'un client.

PIERRE : Je n'en reviens pas que tu ne connaisses pas Austerlitz. Friedland et Iéna, je ne dis pas, mais Austerlitz !

VINCENT : Ça va, je ne vais pas apprendre toutes les stations de métro, je ne le prends jamais… Et les enfants ?

CLAUDE : *(imitant Pierre)* COUCHÉS !!!

Vincent ricane en regardant sa montre.

VINCENT : 20 h 45. *(Il sourit.)* C'est vrai qu'on est samedi… *(Il tend une liasse de billets à Claude.)* Tiens, mon salaud. *(Regard de Pierre.)* Poker. Il m'a plumé.

PIERRE : Vous jouez de l'argent ?

VINCENT : Non, non. Juste des lentilles. Mais comme il en a gagné une tonne, c'est plus simple de le payer en liquide.

CLAUDE : La chance du débutant.

VINCENT : Je connais une autre expression, mais tu as bien fait de choisir celle-là.

PIERRE : Combien t'as gagné ?

Claude range les billets.

CLAUDE : Deux ans de salaire de prof agrégé.

Vincent et Claude rient.

VINCENT : *(à Pierre)* Ça craint le bateau en bas ?

PIERRE : … Où ça ?

Vincent va à la fenêtre, Pierre le rejoint.

Vincent : En face du libraire.

Pierre : Tu risques de te prendre une prune.

Vincent : Ils n'enlèvent pas ?

Pierre : Je ne crois pas. Remarque, s'ils veulent la bouger il va leur falloir un tank.

Vincent sourit.

Vincent : J'ai laissé ton numéro, ça t'ennuie pas ?

Pierre : Tu as laissé mon numéro… ?

Vincent : J'ai rayé la petite voiture rouge. Toi t'as pas de malus, tu t'en fous…

Pierre sourit à son tour.

Pierre : Tu as bien fait. Je me ferai un plaisir de te dénoncer.

Vincent : Je te fais confiance.

Pierre : Je me moque, comme ça, mais au fond, ça doit être pratique un 4 x 4 dans le cinquième arrondissement. Il y a la montagne Sainte-Geneviève, puis la Bièvre doit être souvent en crue…

Vincent sourit. Pierre retourne vers les étagères et fouille.

Vincent : Ce n'est pas un 4 x 4 à proprement parler. C'est un SUV. « *Sport Utility Vehicle.* » Un *crossover*, si tu préfères.

Pierre : Je ne préfère rien du tout. Il y a trop de mots anglais pour que ce soit intéressant.

Claude regarde sous les coussins.

Vincent : Vous faites quoi, là ? Je peux jouer ?

Claude : On cherche les clés de Pierre, les clés de la cave.

Vincent : On gagne quoi si on trouve ?

Claude : Sa reconnaissance éternelle.

VINCENT : Ah, quand même ! *(Ils fouillent tous les trois. Vincent regarde entre les livres.)* Tu lis le russe ?

PIERRE : Je m'y suis remis. Ça m'entretient.

VINCENT : Moi, je me suis remis à l'italien.

CLAUDE : C'est vrai ?

VINCENT : Oui… Je regarde les matchs sur la RAI. *(Claude sourit.)* C'est vraiment bien, ici. Vous avez fait une sacrée affaire. Tu sais, je pourrais facile t'en avoir sept mille du mètre.

PIERRE : À l'époque, tu nous disais que c'était un quartier de drogués et d'immigrés.

VINCENT : Ça l'était. C'est la force de vous autres, gauchistes. Vous osez investir dans les quartiers à fort potentiel.

ÉLISABETH : *(off)* Tu aurais pu venir m'embrasser.

Elle entre dans le salon, tablier et gants de cuisine en main.

VINCENT : Ton mari m'a réquisitionné pour sa chasse au trésor.

ÉLISABETH : Pierre, arrête avec ça. *(À Vincent.)* Qu'est-ce que tu as fait d'Anna ?

VINCENT : Elle nous rejoint. On lui a calé une réunion de dernière minute. Des Japonais. *(Ils se font la bise. Vincent la regarde en souriant avec un petit rictus.)* Vraiment bien ta nouvelle… coupe.

ÉLISABETH : Pierre déteste !

Pierre cherche les clés derrière le canapé.

PIERRE : Mais pas du tout !

ÉLISABETH : Ben si ! *(À Vincent.)* Alors ?

VINCENT : Alors quoi ?

ÉLISABETH : Anna ne passait pas son écho aujourd'hui ?

Un temps.

VINCENT : … Si.

ÉLISABETH : Quoi ? Pourquoi tu fais cette tête ?

VINCENT : Il y a une bonne et une mauvaise nouvelle.

Élisabeth se raidit. Les autres arrêtent de fouiller.

ÉLISABETH : *(inquiète)* Quoi ?

VINCENT : Ben la bonne c'est que c'est un garçon, mais la mauvaise c'est qu'il est mort. *(Consternation. Élisabeth, défaite, s'approche de Vincent et le prend dans ses bras. Hilare.)* Mais je vous fais marcher ! C'est un garçon et il va très bien. Très bien !

Élisabeth le frappe, comme une grande sœur frappe son petit frère.

ÉLISABETH : Mais ce que t'es bête ! Vraiment c'est pas drôle !!! *(Vincent sort l'échographie, qu'Élisabeth lui arrache.)* Donne-moi ça ! *(Elle s'extasie.)* Oh… !

CLAUDE : Montre-moi l'héritier ! *(Claude prend le cliché des mains d'Élisabeth.)* Si petit et déjà si riche !

Il tend l'échographie à Pierre qui y jette un regard furtif.

PIERRE : Il a une grosse tête, comme son père ! *(À Vincent.)* Dis donc, toi, t'as appelé ta mère ?

VINCENT : Pas encore.

ÉLISABETH : À propos de maman, je l'ai eue tout à l'heure. Je lui ai promis de l'appeler pour La Castide… Elle veut savoir quand est-ce que tu viens.

VINCENT : Mais j'en sais rien ! Comment elle veut qu'on sache huit mois avant ?!

ÉLISABETH : Écoute, de toute façon, vous venez quand vous voulez. Ce que je peux te dire, c'est que nous on y sera avec les enfants du 5 au

20 juillet. Que maman garde les enfants du 20 juillet au 6 août. Et que Michel et Christelle passeront sans doute nous voir le week-end du 8-9… Mais tu viens quand tu veux.

VINCENT : Quand je veux entre le 21 et le 23, quoi !

PIERRE : *(ironique)* Tu sais, Vincent, tu peux même venir quand on est là…

ÉLISABETH : Ben oui ! Et puis peut-être que Claude passera… Tu sais qu'il s'installe à Marseille ?

VINCENT : Il paraît. Je suis consterné.

ÉLISABETH : Dis-lui au moins à quel moment tu penses venir. Tu as le droit de changer d'avis.

VINCENT : Eh bien dis-lui que je pense venir… le week-end du 36-37 !

ÉLISABETH : Vincent !

VINCENT : Mais qu'est-ce que ça peut lui foutre ? De toute façon, elle y est tout le temps. Chaque année, c'est le même cirque !

CLAUDE : Elle a peut-être envie de s'organiser… d'inviter des amis.

VINCENT : Ça va, elle a tout l'hiver pour les voir ses amis.

ÉLISABETH : Mais c'est ce qu'elle fait. Les Rozenthal viennent la première semaine de septembre. Et tonton Hector la deuxième.

VINCENT : Eh ben je sais pas quand je viens, mais je sais quand je viens pas.

ÉLISABETH : Vincent… Maman n'a plus 20 ans. C'est important pour elle de savoir. Tu ne veux pas voir qu'elle vieillit, mais elle vieillit.

VINCENT : Mais elle va très bien. C'est pas une question d'âge, c'est une question de manie. C'est Manie Nova et ça l'a toujours été.

Élisabeth souffle.

ÉLISABETH : Bon… On attend Anna ou on commence ?

VINCENT : Garde-lui juste un paquet de cigarettes, ça sera très bien.

ÉLISABETH : Elle fume ?!

VINCENT : Qu'est-ce que tu veux que je te dise ? C'est la seule femme que je connaisse qui ait commencé à fumer pendant sa grossesse… Stress prénatal.

ÉLISABETH : Je ne veux pas me mêler de ce qui ne me regarde pas, mais vraiment, c'est mauvais pour ton fils.

VINCENT : Tu lui diras tout à l'heure.

ÉLISABETH : Il risque d'être tout petit !

VINCENT : Eh ben il sera jockey.

Il rit à sa blague. Élisabeth retourne à la cuisine.

CLAUDE : Un garçon alors…

VINCENT : Oui.

PIERRE : Nous, on ne savait pas pour le sexe.

VINCENT : Vous ne saviez pas comment on faisait ?

Rires.

PIERRE : On a hésité, mais finalement on s'était dit que c'était mieux de préserver une part de rêve… J'avais peur de trop me projeter, de rater une étape. Je crois que plus on se fait une idée précise, plus on fantasme, plus on risque de rendre difficile la rencontre avec « l'enfant réel ».

VINCENT : Tu devrais noter ça pour ton psychanalyste, il va adorer.

Rires de Vincent et Claude.

PIERRE : Et puis les hommes ont eu la surprise de la naissance pendant des millénaires, non ?

VINCENT : C'est vrai. Et je trouve que pour le troisième, tu devrais faire accoucher Babou dans les bois, une branche entre les dents…

Élisabeth arrive avec un plateau rempli de petits plats.

ÉLISABETH : Madame est servie ! *(À Claude.)* Tu peux aller me chercher les *pitas* ? *(Claude sort en direction de la cuisine. Élisabeth pose le plateau gargantuesque, s'assied et détaille les plats.)* Ça c'est des *briouats*, ça c'est des *bricks* avec du persil, de la *tchoutchouka*, du caviar d'aubergine, du *zaalouk*, une petite salade de fèves, des carottes confites — il y a du cumin, j'espère que vous aimez…

VINCENT : Je déteste !

Claude revient avec une corbeille débordante de pitas.

ÉLISABETH : … Et ça c'est du *houmous*. Vous pouvez y aller, j'ai fait une assiette pour Anna.

VINCENT : Tu me rassures.

ÉLISABETH : *(inquiète)* Tu trouves qu'il n'y a pas assez ?

VINCENT : Ça dépend… T'as invité l'orchestre de Claude ?

PIERRE : Si elle ne fait pas tout en double, elle a peur de manquer. Heureusement qu'en général c'est moi qui fais les courses, sinon il faudrait revendre le Scénic.

ÉLISABETH : Ah écoute, quand on était petits, il fallait toujours tout compter. Je me rattrape.

VINCENT : Ça va, c'était pas la Pologne non plus.

ÉLISABETH : Il prend la défense de sa maman chérie… si c'est pas mignon !

Elle va embrasser son frère. Pierre et Claude se servent.

CLAUDE : Alors, est-ce que vous avez des idées de prénom ?

VINCENT : Oui. On en a même une assez précise.

TOUT LE MONDE : Ah !

ÉLISABETH : On peut savoir ?

Vincent les regarde. Suspense.

VINCENT : … Devinez.

CLAUDE : Peut-être que tu préfères qu'on attende Anna ?

VINCENT : Ça la fera venir.

Il prend une carotte. Les autres se mettent à réfléchir.

ÉLISABETH : Tu vas quand même pas l'appeler comme papa et grand-père ?

Vincent fait non de la tête, ce qui semble rassurer Élisabeth.

PIERRE : En même temps, je te vois bien avec un prénom classique… Matthieu ou Paul.

VINCENT : C'est pas un apôtre.

PIERRE : Paul non plus.

VINCENT : Paul n'est pas un apôtre ?!

PIERRE : Non, pas un des douze, non !

VINCENT : Il devait être remplaçant.

Rires.

CLAUDE : Il faut chercher ses références, ses goûts, ce qu'il aime… Diego ?

VINCENT : J'aime les petits serveurs mexicains, moi ?

CLAUDE : Diego Maradona !

VINCENT : Ah oui, mais non.

Élisabeth soumet les bouteilles. Elle tient dans une main une bouteille de cheval-blanc de Vincent et dans l'autre la bouteille de rosé de Claude.

ÉLISABETH : On commence par quoi ? Cheval-blanc ou… fontaine-de-provence ?

VINCENT : Ça dépend si c'est pour boire ou pour se laver les mains.

ÉLISABETH : C'est sympa pour Claude !

VINCENT : Il a l'oreille musicale, il peut pas tout avoir.

Elle donne la bouteille de cheval-blanc à Pierre, qui commence à la déboucher.

PIERRE : Christophe ?

VINCENT : Moins courant.

ÉLISABETH : Camille.

VINCENT : C'est un garçon.

ÉLISABETH : Camille, c'est fille et garçon.

VINCENT : Moi, c'est garçon-garçon.

CLAUDE : Lancelot… Thaddée… César ?

ÉLISABETH : Basile ?

Pierre remplit les verres.

PIERRE : Igor ?

VINCENT : Moins russe.

CLAUDE : Bartolomé ? Balthazar ? *(Vincent croque dans sa carotte en secouant la tête.)* Donne-nous un indice.

VINCENT : *(bouche pleine)* Ça commence par un A.

PIERRE : Ah ! Un A. Alexandre ?

VINCENT : Non.

Pierre boit une gorgée de vin.

PIERRE : Il est délicieux.

CLAUDE : Albert ?… Arthur ?

PIERRE : Agnan ? Adrien ? Artémus ? Alban ?…
Alfred ?

ÉLISABETH : Aurelio.

CLAUDE : Antonin.

ÉLISABETH : Nous, on avait hésité avec Aurélio.
Mais AuréliO GarAUD, on trouvait que ça faisait
trop « O ».

CLAUDE : Aymeric.

VINCENT : Plus connu.

PIERRE : Antoine.

VINCENT : Non. Plus original.

PIERRE : Albator !

Ils rient.

CLAUDE : Alphonse !

VINCENT : Pas mal.

ÉLISABETH : C'est Alphonse ?!

VINCENT : Non, mais il y a de l'idée.

ÉLISABETH : Je vais finir de préparer la *méchouia*,
vous m'attendez.

Elle sort.

CLAUDE : C'est pas évident…

PIERRE : Achille ?

VINCENT : Non.

CLAUDE : Anicet ?

VINCENT : Quelle horreur !

Élisabeth réapparaît.

ÉLISABETH : J'ai dit : on m'attend !

Les trois hommes attendent… deux secondes et demie.

VINCENT : C'est une référence littéraire.

CLAUDE : Aramis ?

PIERRE : Arsène ? *(Vincent fait non de la tête. Pierre et Claude se regardent. Ils semblent être à court d'idées. Pierre, pour lui-même.)* Une référence littéraire connue… D'Artagnan ?

Vincent fait non de la tête.

CLAUDE : Aragon ?

VINCENT : C'est pas un nom de famille.

CLAUDE : C'est pas Alexandre non plus. Abbas, Attila ? Je sais pas.

PIERRE : Moi non plus… Bon, c'est quoi ?

VINCENT : Adolphe.

PIERRE : *(amusé)* Très drôle ! Bon, sans déconner, c'est quoi ?

VINCENT : Adolphe.

Petit sourire de Pierre.

PIERRE : Tu ne vas pas l'appeler Adolf ?

VINCENT : Si.

Pierre accuse le coup.

PIERRE : Tu ne vas pas l'appeler Adolf ?

VINCENT : Si.

PIERRE : Tu vas l'appeler Adolf ?

VINCENT : Oui, comme le personnage du roman de Benjamin Constant.

Un silence perplexe.

CLAUDE : Vincent, tu ne vas pas appeler ton fils ADOLF. Tu n'es pas sérieux.

VINCENT : Mais je suis très sérieux. Avec Julien Sorel c'est peut-être le nom le plus célèbre de la littérature française, le héros romantique par excellence !

Claude et Pierre se regardent.

PIERRE : Vincent… Tu ne vas pas faire ça ? Tu nous fais marcher ? Hein, rassure-moi, c'est une plaisanterie ? De mauvais goût, mais c'est une plaisanterie ? *(Un temps.)* Tu ne vas appeler ton fils comme Hitler ?!

Le visage de Vincent s'éclaire : il n'y avait pas pensé.

VINCENT : Ah mais non, pas comme Hitler justement ! Parce que, comme tu le sais très bien, le « Adolf » de Hitler s'écrit avec un « F », alors que le mien, l'Adolphe français, s'écrit « P-H-E ».

PIERRE : Mais c'est pareil !

VINCENT : « F » et « P-H » c'est pareil ? Je pensais que pour un normalien tu serais un peu plus à cheval sur l'orthographe.

PIERRE : À l'oreille, c'est pareil. Adolf, Adolphe, c'est pareil.

CLAUDE : Vincent, ce que Pierre veut dire, c'est que les gens ne vont pas entendre Adol-phe, ils vont entendre Adolf, tu comprends ? Comme dans… éléphant.

VINCENT : J'aime bien quand tu me parles comme à un attardé mental.

PIERRE : Excuse-moi, mais il faut être attardé mental pour pas comprendre qu'on ne peut pas appeler son fils Adolf.

VINCENT : Ça ne sert à rien de m'agresser… Si tu veux que je t'explique, je t'explique. Sinon on arrête tout de suite.

CLAUDE : *(à Pierre)* Laisse-le s'expliquer.

Il fait signe à Vincent de parler.

VINCENT : *(plongé dans la douceur du souvenir)* Je lisais *Adolphe*, le roman de Benjamin Constant, et Anna aussi quand on s'est rencontrés. On a adoré ce livre, on a adoré ce personnage. Ça a été le livre de notre rencontre, tu comprends ?… Alors on s'est dit que si on avait une fille on l'appellerait Ellénore, et que si c'était un garçon, nous…

PIERRE : *(le coupant)* Mais putain, il va le faire ce con ! Il a lu un livre dans sa vie et il fallait que ça tombe sur celui-là !

VINCENT : Je crois même que c'est toi qui me l'as offert.

PIERRE : Mais depuis quand tu lis ce que je t'offre ?!

ÉLISABETH : *(off)* ACHILLE ! Je suis sûre que c'est Achille ! *(Elle arrive avec l'immense plat de* méchouia *et sent immédiatement la tension.)* Qu'est-ce qui se passe ?… Tu l'as dit. Tu l'as dit quand j'étais pas là… C'est Achille, hein ?

CLAUDE : Non, c'est pas Achille.

ÉLISABETH : Mais tu l'as dit… T'es pas chouette, Vincent. Je t'avais demandé de m'attendre…

PIERRE : Babou. Ce n'est pas le problème, je te jure.

ÉLISABETH : C'est facile pour toi de dire ça.

PIERRE : Babou. Ton frère…

ÉLISABETH : *(le coupant)* Je ne veux pas savoir, ça ne m'intéresse plus.

CLAUDE : Babou, c'est…

ÉLISABETH : *(le coupant à nouveau)* Je ne veux pas

savoir ! Vous n'avez pas voulu m'attendre, tant pis.

PIERRE : Tu ne veux pas savoir comment il va appeler son fils ?

ÉLISABETH : Non.

PIERRE : Eh bien, je vais te le dire quand même.

ÉLISABETH : Je n'écoute pas. *(Elle se bouche les oreilles.)* Lalalalalalala…

PIERRE : Babou, arrête.

ÉLISABETH : Lalalalalalala…

VINCENT : On comprend pourquoi les Bédouins ne mangent pas avec leurs femmes.

Pierre monte d'un cran dans l'énervement.

PIERRE : Babou ça suffit !

ÉLISABETH : Lalalalalalala…

PIERRE : Adolf ! Tu entends ? ADOLF !

Elle retire ses mains.

ÉLISABETH : Quoi ?

PIERRE : ADOLF ! Il va appeler son fils Adolf Caravati-Larchet !

VINCENT : Ah non.

Élisabeth n'est pas sûre d'avoir bien entendu, mais personne ne l'écoute.

ÉLISABETH : C'est quoi alors ?

PIERRE : *(à Vincent)* … Tu as changé d'avis ?

VINCENT : Non, je n'ai pas changé d'avis, mais il ne portera pas le nom d'Anna. Il s'appellera juste Larchet. Je suis contre cette mode ridicule.

ÉLISABETH : Tu trouves que Garaud-Larchet c'est ridicule ?

PIERRE : Il appelle son fils Adolf, et il parle de mode ridicule !

VINCENT : Je m'appelle Vincent Larchet, point. Je ne vois pas pourquoi mon fils s'appellerait Caravati-Larchet. Ou alors il faut tout garder, et au bout de trois générations on aura des cartes d'identité de six cents grammes.

ÉLISABETH : En Espagne et au Portugal, on…

PIERRE : *(la coupant)* Il veut appeler son fils Adolf, tu as entendu ?! On s'en fout de ce qu'il veut mettre derrière, ce qui compte c'est…

ÉLISABETH : *(le coupant à son tour)* Pourquoi tu m'agresses ?

PIERRE : Ton frère appelle son fils comme le *Führer* et c'est moi qui suis agressif ?!

Élisabeth comprend soudain.

ÉLISABETH : Tu veux vraiment appeler ton fils Adolf ?

VINCENT : Pour la quarantième fois, je veux appeler mon fils Adol-PHE, du nom du plus grand héros romantique de la littérature française du XIXe siècle…

PIERRE : Et du plus grand tyran de tous les temps.

VINCENT : AdolPHE s'est appelé AdolPHE avant Adolf.

PIERRE : Oui, mais ton Adolphe arrive après l'autre ! *(Il soulève l'échographie.)* Regarde, il lève le bras, il fait déjà le salut nazi !

Élisabeth lui arrache des mains.

ÉLISABETH : Pierre !

VINCENT : *(à Pierre)* Rassure-moi… Tu ne penses pas qu'Adolf est devenu Adolf parce qu'il s'appelait Adolf ?

Tout le monde se regarde.

CLAUDE : Tu peux répéter ?

VINCENT : Tu ne penses pas qu'Adolf est devenu…

ÉLISABETH : *(elle le coupe)* On pourrait peut-être manger et parler d'autre chose ?…

PIERRE : Non, Babou. C'est important.

VINCENT : Adolf Hitler n'est pas devenu Adolf Hitler parce qu'il s'appelait Adolf. Il se serait appelé Pierre ou Martin, il aurait été tout aussi méchant. On aurait juste dit Martin Hitler, et aujourd'hui, je serais tranquille.

PIERRE : Sans doute, Vincent, mais il se trouve que son papa et sa maman, qui devaient avoir des goûts proches des tiens, l'ont appelé Adolf, pas Martin !

VINCENT : Je suis désolé mais Adolphe-PHE n'est pas responsable de ce qu'a fait Adolf.

PIERRE : *(il se met à hurler)* Quand tu parles de ce qu'il a fait, tu veux parler de la mort de millions de personnes ? Il a pas volé une bicyclette, merde !

VINCENT : *(il hurle)* Mon Adolphe non plus ! Il faut que je te le dise en quelle langue ?

PIERRE : *(il hurle encore)* Essaye l'allemand !

ÉLISABETH : *(elle crie)* Arrêtez de crier ! Vous allez réveiller les enfants ! *(Le silence retombe. Elle se lève.)* Maintenant ça suffit ! Je vais chercher la suite. À mon retour, on parle d'autre chose… Personne n'a touché à la *méchouia*.

Elle sort. Claude reprend, pédagogue.

Claude : Vincent. Pour les gens Adolphe n'existe plus. Il n'y a plus qu'Adolf. Adolf Hitler. C'est comme ça. Tu ne peux pas en faire abstraction. Personne ne pensera à Benjamin Constant, mais à *Mein Kampf*.

Pierre : Adolf a tué Adolphe.

Vincent : Alors ce qui compte, c'est ce que pensent les gens ?

Pierre : Exactement.

Vincent : Même s'ils se trompent ?

Pierre : C'est un impératif catégorique ! Un principe qu'on ne peut pas discuter, parce qu'il est moralement juste ! « La maxime de notre action doit être érigée en règle universelle. »

Vincent : Et si moi, je ne suis pas d'accord ?

Pierre : Tu as lu Benjamin Constant ? Eh bien lis Kant, maintenant. *La Fondation de la métaphysique des mœurs*… Tu verras, c'est passionnant.

Un temps.

Vincent : Donc, d'après Kant, j'ai le droit à Starsky et Hutch, mais pas à Adolphe…

Pierre : *(criant)* Starsky et Hutch n'ont pas exterminé la moitié de l'Europe !

Claude : Pierre, les enfants !

Pierre : De toute façon, tu n'auras pas le droit.

Vincent : Tu veux m'envoyer en prison pour homonymie ?

Pierre : Ce n'est pas un prénom, c'est une apologie de crime contre l'humanité. On ne te laissera pas appeler ton fils comme ça, tu n'auras pas le droit.

Vincent : Ah, parce que d'après toi il y a des prénoms autorisés et des prénoms interdits ?

Pierre : Bien sûr !

Vincent : Eh ben… faisons la liste. *(Il se lève. Il trouve un cahier et un stylo.)* Je peux écrire sur le cahier de textes de Myrtille ?… Non, parce que si je dois changer, que je ne me trompe pas encore une fois. Bon, Je vous écoute. *(Silence.)* Alors ?… Il n'y a qu'Adolf ?

Élisabeth revient.

Élisabeth : Encore ?!

Vincent : Non non. On cherche un nouveau prénom. T'as des idées ?

Élisabeth : Ah… Pourquoi pas Joseph ? C'est classique et joli.

Vincent : Ah non… Joseph c'est pas possible : Joseph Staline ! Fini Joseph. *(Il note au fur et à mesure.)* Je sais, c'est aussi le prénom du père de Jésus, enfin du beau-père de Jésus, un charpentier honnête et travailleur, mais Staline est venu après, alors tant pis pour lui. C'est bien ça la règle, Pierre, non ? Alors, au revoir Joseph… Au revoir Benito, Franco, Augusto… Au revoir Paul.

Claude : Paul ?

Vincent : Ben oui, Pol Pot. Trois millions de morts. Je sais c'était des Khmers, mais ça compte aussi, non ? Ça s'écrit pas pareil, mais c'est pareil, paraît-il. *(Un temps.)* Je suis désolé, Babou, mais il va falloir débaptiser ton chat.

Élisabeth : C'est Polo.

VINCENT : Polo, Paul, on va pas ergoter. Est-ce que j'ai le droit à Adolpho, moi ? Non. Alors je suis désolé, mais adieu Polo… Et c'est pas fini, hein ! Il y a Pétain, aussi, qui nous tue les Philippe ; et Napoléon, Fidel, Saddam… Vous m'aidez pas beaucoup, vous devez être nuls au petit bac…

PIERRE : Vincent…

VINCENT : Il y a un nombre de morts limite ou pas ? Parce que sinon il y a aussi les tueurs en série : Gilles de Rais ou Francis Heaulme, plus contemporain, mais efficace, quand même.

CLAUDE : Je crois qu'on a compris ton raisonnement, Vincent.

VINCENT : Vraiment ? Parce qu'il y a Jack l'Éventreur aussi, fini Jacques. Et Carlos, dans la catégorie terroriste… et Ben Laden ! Et qui dit Ben dit Benjamin, hein… Bon, ben, en gros pour le chat de Babou et mon fils, il reste pas grand-chose en noms autorisés. *(Il regarde ses notes.)* J'ai Bernard et Raoul. Tu veux quoi, Babou ? À toi l'honneur, le chat est né avant.

Claude sourit. Pierre recherche un autre argument quand Élisabeth prend le relais.

ÉLISABETH : Tu sais Vincent, c'est ton fils après tout, tu fais ce que tu veux…

PIERRE : Non, il ne fait pas…

ÉLISABETH : *(le coupant)* Si. C'est lui le père ! Il fait exactement ce qu'il veut…

VINCENT : … Mais ?

ÉLISABETH : Mais si tu persistes à vouloir appeler

ton fils Adolf, je te demanderai de prévenir les Rozenthal.

Un temps.

VINCENT : Pourquoi est-ce que j'irais voir les Rozenthal ? Ils ne sont pas venus me voir pour les prénoms de leurs enfants.

PIERRE : Ça n'a rien à voir.

VINCENT : Ça a tout à voir. Les Rozenthal sont des gens cultivés qui sauront très bien faire la différence entre Adolf et Adol-phe.

Pierre se lève.

PIERRE : Ça suffit maintenant, arrête de jouer au con. Vouloir appeler son fils Adolphe, au mieux c'est de l'inconscience, au pire une horrible provocation. C'est l'un ou l'autre. Je veux bien croire que tu étais de bonne foi, mais après la conversation que nous venons d'avoir tu ne peux plus faire comme si tu ne savais pas. Tu ne peux plus jouer à celui qui blesse par étourderie. À partir de maintenant, tu sais ce que tu fais. C'est un acte délibéré. Tu ne peux pas te balader en uniforme nazi en disant juste : « J'adore les déguisements. » Alors si tu persistes à appeler ton fils Adolphe, je considérerai que c'est un acte fasciste. Une profession de foi. *(Un temps.)* Voilà, le débat est clos.

Un moment de silence.

VINCENT : Tu m'as convaincu, Pierre. Je n'appellerai pas mon fils Adolphe.

Élisabeth se lève et vient l'embrasser.

ÉLISABETH : *(à Pierre)* Tu vois qu'il n'est pas borné !

(À tous.) Vous préférez attendre pour le *tajine* ou vous voulez tout en même temps ?

CLAUDE : Je veux bien tout en même temps.

ÉLISABETH : Très bien. Et quand je reviens, on explique à Claude pourquoi il ne faut pas qu'il s'installe à Marseille.

Elle se dirige vers la cuisine.

PIERRE : Tu sais dans quel coin tu vas habiter ?

Élisabeth se retourne.

ÉLISABETH : On attend. On m'attend cette fois !

Les hommes attendent un moment.

VINCENT : C'est toi qui as raison, Pierre. On ne peut pas faire abstraction des autres. Tu sais ce qui m'a convaincu ? C'est le déguisement. Un acte privé qui devient, qu'on le veuille ou non, un acte public. Quoi qu'on fasse, tout est politique. Tout est affichage. La neutralité n'existe pas.

PIERRE : Oui, je crois.

Pierre, l'appétit retrouvé, croque dans un falafel.

VINCENT : Non, tu as raison. Plus j'y réfléchis, plus je crois que je vais appeler mon fils Adolf. Avec un F.

Pierre recrache la boulette.

PIERRE : Quoi ?

VINCENT : Tu m'as ouvert les yeux. Le déguisement… ça a été un déclic. Chaplin ! J'ai pensé à Chaplin et à sa petite moustache. Qui a été le plus grand artiste antifasciste si ce n'est Chaplin ? Il avait tout compris. Il a refusé à Hitler jusqu'à son apparence. Il est venu lutter sur le terrain même de l'image. Quelques idiots ont pu penser qu'il lui rendait hommage, mais tous les gens intelligents savaient que c'était une extraordinaire dénonciation. Non, maintenant j'en suis sûr. Grâce à toi, je vais appeler mon fils Adolf…

PIERRE : Tu te perds là.

VINCENT : … Je ne me contenterai pas de reculer par lâcheté ou conformisme. Je vais marquer une rupture. Je vais me mettre au milieu de la route devant les chars comme l'étudiant chinois place Tian'anmen. Je dirai à Hitler : « Tu nous as pris l'Alsace et la Lorraine mais tu ne nous prendras pas nos prénoms, notre patrimoine littéraire… » Toi, avec ton attitude simpliste, tu tends à en faire un mythe, une icône indépassable. Tu le déifies presque.

PIERRE : Moi, je déifie Hitler ?

VINCENT : Bien sûr. Picasso aurait appelé son fils Adolf, il aurait fait un bien plus grand manifeste pour la paix qu'en peignant *Guernica*. Ça, je peux te le dire.

PIERRE : C'est de la bouillie intellectuelle. Picasso n'a pas appelé son fils Adolf, ni même Franco, parce qu'il les détestait et qu'il aurait préféré crever plutôt que la chair de sa chair porte le nom d'un de ces salauds !

VINCENT : Au contraire, c'est limpide. Ne sois pas borné. Tu m'as convaincu. Accepte de l'être à ton tour… Imagine. Imagine une seconde une fille très laide, mal habillée, genre porte-parole d'un mouvement d'extrême gauche, comme ceux pour qui vote Claude. Tu vois une harpie, habillée comme un sac avec les cheveux sales. Imagine maintenant qu'elle s'appelle Marilyn. Eh bien, elle écornerait le mythe. Elle abîmerait l'icône. Elle salirait la mémoire de cette actrice que nous admirons tous. Alors dis-moi pourquoi ça ne marcherait pas dans l'autre sens ? Mon fils sera un type formidable, donc il mettra à mal le fascisme. Il arrachera à Hitler son monopole. Il le fera tomber du piédestal où tu l'as mis.

PIERRE : Je ne sais même plus quoi te dire tant c'est n'importe quoi.

VINCENT : Claude, qui est l'homme que tu détestes le plus ?

CLAUDE : … Hitler, j'imagine.

VINCENT : Un homme vivant.

CLAUDE : Je ne déteste personne.

VINCENT : Putain, fais un effort ! Il y a bien quelqu'un qui concentre une part importante de ton mépris, de ton dégoût… Réfléchis.

CLAUDE : Tu ne le connais pas.

VINCENT : C'est qui ?

CLAUDE : Le nouvel administrateur de Radio France. Un arriviste et une raclure de première.

VINCENT : Ah ben voilà. Tu vois quand tu veux, tu peux haïr un peu. Continue comme ça et dans dix ans tu seras un mec normal. Bon, et comment il s'appelle ?

CLAUDE : François Chocard.

VINCENT : François Chocard ! Un bon nom de con, tu te dis, hein ? Quand tu l'entends, tu ne penses pas à saint François d'Assise, à François Mitterrand ou à François Mauriac ?…

CLAUDE : *(amusé)* Ni à François Villon, ni à François Ier, non.

PIERRE : Si tu t'y mets aussi, Claude.

VINCENT : Et sans parler de Claude François ou François Valéry ! Si François Chocard, par sa seule connerie, a pu faire disparaître au sein de Radio France les rois, les présidents et les plus grands auteurs français, alors crois-moi, Adolf Larchet détrônera Hitler. Adolphe est mort, vive Adolf !

Claude ne peut réfréner un sourire. Élisabeth entre.

ÉLISABETH : Qu'est-ce qui se passe ici ?

VINCENT : Je crois qu'Adolf vient de remporter une nouvelle bataille.

ÉLISABETH : Quoi ? ! Encore !

VINCENT : Oui, et grâce à François Chocard.

ÉLISABETH : *(à Pierre)* Mais de quoi il parle ?

PIERRE : Oh écoute Babou, il fallait être là, merde !

ÉLISABETH : Excuse-moi de m'occuper du dîner !

PIERRE : Non mais c'est pas ça, mais tu t'en vas toutes les deux minutes !

ÉLISABETH : Je fais les courses, je m'occupe des enfants, du linge, de la bouffe, de tout. Et si j'ai le malheur de poser une question, je me fais envoyer sur les roses !

PIERRE : Ce n'est pas ce que je voulais dire.

ÉLISABETH : Mais c'est ce que tu as dit.

PIERRE : Allez… Laisse ça et viens avec nous. Ça nous fait plaisir que tu sois avec nous.

ÉLISABETH : Et moi, si ça me fait plaisir de servir chaud ?!

Elle repart brusquement dans la cuisine. Pierre se lève et la suit, très penaud.

VINCENT : Je pense que c'est une sorte de jeu sexuel entre eux. À mon avis elle lui donne la fessée.

CLAUDE : Tu ne t'arrêtes jamais ?

VINCENT : Ça va, c'est Babou ! Tu sais bien qu'elle pique ce genre de crise depuis qu'elle a huit ans et demi… *(Claude se ressert du vin et en propose d'un geste à Vincent.)* Merci, ça va.

Claude repose la bouteille.

CLAUDE : Tu sais… J'y ai vraiment cru.

VINCENT : À quoi ?

CLAUDE : À Adolf.

VINCENT : Mais tu as eu raison. Je suis très sérieux…

Sourire de Claude.

CLAUDE : Je viens d'apercevoir le livre dans la bibliothèque. À côté du bouddha… Tu l'as mal rangé.

VINCENT : Eh merde ! Tu ne me dénonces pas, hein ?

CLAUDE : Je ne tiens pas à participer à votre concours de bistouquette.

VINCENT : Tu as peur de perdre ?

CLAUDE : Je ne dirai rien mais je ne mentirai pas non plus. Tu te débrouilles comme tu veux mais tu ne me mêles pas à ton…

Vincent : *(le coupant)* OK, OK… Mais ce que tu peux être suisse !

Claude : Même Adolf a respecté la neutralité helvétique.

Vincent : Un point pour toi.

Claude : Alors c'est quoi finalement ?… *(Vincent le regarde.)* Le prénom que vous avez choisi ?

Vincent : Henri.

Claude : *(songeur)* Comme ton père… *(Un temps.)* Ça fera plaisir à Françoise… *(Vincent opine de la tête.)* Vas-y mollo avec Babou. Elle s'est donné un mal de chien pour faire ce repas.

Pierre et Élisabeth reviennent dans le salon et s'assoient.

Vincent : Ah, les amoureux !

Élisabeth : Anna est arrivée ?

Vincent : Oui. Elle n'a pas sonné pour ne pas réveiller les enfants mais elle a escaladé la façade. À cinq mois de grossesse c'est plus marrant.

Tout le monde rit sauf Pierre, qui est sur la défensive.

Claude : Bon… Changeons de sujet. Tout ça ne méritait pas qu'on s'engueule.

Élisabeth : Parlons de Marseille !

Pierre : Excuse-moi Claude, mais qu'est-ce qui vaut la peine de s'engueuler ?

Élisabeth : Pierre, s'il te plaît.

Pierre : Attends Babou, il peut quand même répondre à cette question. Qu'est-ce qui est suffisamment important pour toi, Claude, pour « mériter » une engueulade ?

Claude : On n'est peut-être pas non plus obligés de s'engueuler à chaque dîner.

Pierre : C'est vrai, on n'est pas obligés. *(Un temps.)* Mais tu n'as pas répondu à ma question. Vas-y ! De quoi tu veux qu'on parle ? Ça doit être ennuyeux de toujours être spectateur. Allez, choisis un sujet, on te suit ! *(Claude sourit.)* Pourquoi tu ris ? Tu ne nous en crois pas capables ?... Dis-nous ce qui t'intéresse puisque, visiblement, la question du fascisme t'ennuie.

On entend soudain des pleurs d'enfant. Personne, à part Élisabeth, n'y prête attention.

Claude : La question du fascisme ne m'ennuie pas du tout, mais vous n'avez pas parlé de fascisme.

Pierre : Ah non ? Et on a parlé de quoi ?

Claude : Je veux dire que vous n'en avez pas parlé sérieusement. Vous vous amusez, vous faites semblant. Vous jouez un rôle comme quand vous étiez petits.

Pierre : On joue des rôles ?

Élisabeth finit par se lever, et disparaît vers les pleurs.

Claude : Oui, comme on joue au policier ou à la marchande. Vous jouez avec les sujets de société comme avec des petites voitures. Avec quoi on va jouer ce soir ? L'avortement, le foulard islamique, le Vélib' ou le droit de grève ? Vous prenez des positions que vous pouvez interchanger.

Pierre : Je ne pourrais jamais appeler mon fils Adolf.

Claude : Peut-être, mais au fond, vous êtes pareils tous les deux. Vous jouez à vous bagarrer. Vous avez toujours fait ça. Vous avez déjà eu cinquante fois ces disputes. Vous ne croyez pas à ce que vous dites. Je trouve ça plutôt marrant, mais ne me prenez pas en arbitre.

VINCENT : Au moins tu nous trouves amusants. C'est méprisant mais sympathique.

PIERRE : Tu ne comprends pas, Vincent. Monsieur est au-dessus de tout ça.

CLAUDE : Ce n'est pas parce que je suis au-dessus de vos conversations que je suis au-dessus « de tout ça » !

Vincent émet un sifflement d'admiration.

VINCENT : Attention, la palombe se réveille !

PIERRE : *(à Claude)* Tu ne veux pas descendre de ton piédestal et venir discuter avec nous ? Tu sais, tes copains…

VINCENT : Allez Aristote, sors de ta caverne.

PIERRE : C'est Platon, l'allégorie de la caverne.

VINCENT : Aristote y était aussi, mais il n'en est pas sorti !

Rires.

PIERRE : Tu as du bol, c'est la même époque.

VINCENT : Mais tous les philosophes ne sont-ils pas de la même époque ?

Rires.

PIERRE : C'était le sujet de notre bac philo !

VINCENT : Tu comprends pourquoi j'ai eu 4 !

Rires.

CLAUDE : À propos… Devinez avec qui j'ai pris un verre hier… À 18 heures, au Café Beaubourg. J'ai pris un kir avec quelqu'un. Devinez qui ?

PIERRE : Tu bois des kirs, toi ?

CLAUDE : Allez, devinez qui ?

VINCENT : Au Café Beaubourg en plus ?

PIERRE : Quelqu'un qu'on n'a pas vu depuis long-temps ?

CLAUDE : Un siècle !

VINCENT : Qu'est-ce qu'on gagne si on trouve, à part ta reconnaissance éternelle ?

CLAUDE : Je ne sais pas… Une bouteille de champagne ?

VINCENT : Dom pérignon ?

CLAUDE : OK…

VINCENT : Antoine Flemmadon.

CLAUDE : *(sidéré)* Ah ben merde… ! Comment tu as deviné ?

VINCENT : Je sais pas, je trouve que t'as bien une tête à boire des kirs avec Antoine Flemmadon.

CLAUDE : Non mais sans rire, c'est dingue que tu aies deviné !

VINCENT : C'est moi qui lui ai passé ton numéro.

CLAUDE : Quoi ? !

VINCENT : Attends, c'est quand même avec toi qu'il avait le plus d'affinités.

CLAUDE : N'importe quoi.

PIERRE : Si, bien sûr.

VINCENT : Merci. *(Son portable sonne.)* … Allô ma chérie… On crève de faim !… Bien sûr qu'on t'a attendue, qu'est-ce que tu crois ?!… C'est « Marignan », « Austerlitz »… Tu connais la date d'Austerlitz ?… À tout de suite. *(Il raccroche.)* Ah ça, ça a du bon les écoles de bonnes sœurs.

Élisabeth revient.

ÉLISABETH : *(sèche, à Pierre)* Puisque tu me le demandes, Apollin s'est rendormi.

Pierre soupire.

PIERRE : Babou… Le pédiatre a dit qu'il faut le laisser pleurer.

ÉLISABETH : Le pédiatre a dit aussi qu'il faut que le père soit un peu plus présent.

PIERRE : On n'est peut-être pas obligés d'en parler maintenant.

ÉLISABETH : Je suis peut-être pas obligée de me lever tout le temps.

PIERRE : J'irai la prochaine fois.

On frappe à la porte. Élisabeth va ouvrir. Anna entre avec un très beau bouquet de fleurs. Elle est jolie, élégante et bourgeoise. Elle a un petit ventre mais reste très menue.

ANNA : Excuse-moi, je suis désolée d'arriver si tard… Ça te va très bien ce petit balayage.

Elle tend le bouquet à Élisabeth.

ÉLISABETH : Merci !

ANNA : Vous n'auriez jamais dû m'attendre !

Elle découvre alors Vincent qui se goinfre avec un grand sourire.

VINCENT : *(la bouche pleine)* Attends… on est bien élevés chez les Larchet !

Anna sourit en secouant la tête.

ÉLISABETH : *(regardant les fleurs)* Ah ! des fleurs ! Mais fallait pas !

VINCENT : Si tu n'en veux pas, on les garde…

Anna embrasse furtivement Vincent.

ANNA : Décidément, mon mari a mangé du clown.

VINCENT : De la *méchouia*, mais c'est moins bon.

Anna embrasse Pierre…

ANNA : Bonjour Pierre…

Puis elle embrasse Claude.

PIERRE : Tu n'as pas pris un gramme… Quelle ligne !

ÉLISABETH : Tu dis ça pour moi ?

CLAUDE : Non, c'est pour moi ! *(À Anna.)* J'te rassure, il reste plein de *briouats*.

ANNA : Hum… Ça sent très bon.

ÉLISABETH : Je t'ai mis une assiette de côté. *(Elle retire le papier du bouquet.)* Il est vraiment magnifique, je vais le mettre tout de suite dans un vase…

Elle disparaît dans la cuisine.

CLAUDE : Alors… Comment tu vas ?

ANNA : Bien mais avec la préparation des défilés, c'est un peu la folie en ce moment.

PIERRE : Ça dure combien de temps ?

ANNA : Jusqu'à la fin mars, et ça reprend en juin pour la collection d'hiver. Mais ils devront se passer de moi cet été.

PIERRE : Je n'ai jamais bien compris pourquoi on faisait l'été en hiver et l'hiver en été…

ANNA : Tu prépares la saison suivante. *(Regardant Pierre.)* Tout le monde ne porte pas du velours côtelé au mois d'août.

CLAUDE : D'accord, mais qui a envie d'acheter un slip de bain au mois de mars ?

ANNA : Non, la vraie question c'est : « qui utilise encore l'expression "slip de bain" ? »

Pierre et Vincent s'esclaffent.

CLAUDE : Qu'est-ce que tu veux dire d'autre ?

VINCENT : Maillot, maillot de bain…

ANNA : Même si un maillot de bain n'est pas forcément un slip de bain.

VINCENT : De toute façon, Claude a toujours été très slip.

PIERRE : « Très slip. »

CLAUDE : Je suis plutôt slip, c'est vrai, mais…

VINCENT : Y a pas de « mais », ni de « plutôt », tu es exclusivement slip. Je ne t'ai jamais vu avec un caleçon.

PIERRE : Moi non plus. *(Élisabeth arrive avec une assiette énorme.)* Chérie, est-ce que tu as déjà vu Claude autrement qu'en slip ?

ÉLISABETH : Je vois que le niveau de la conversation s'est élevé.

CLAUDE : Avec le costume de l'orchestre, je suis obligé de porter un slip.

VINCENT : Eh ben voilà, c'est la faute au trombone !

Tout le monde éclate de rire. Élisabeth tend l'assiette à Anna, qui écarquille les yeux devant la montagne de nourriture.

ANNA : Oh… Mais je ne vais jamais manger tout ça !

ÉLISABETH : Tu as besoin de prendre des forces. Vous êtes deux maintenant.

PIERRE : Oui, et puis pas n'importe qui.

Une petite gêne parcourt l'assistance.

ÉLISABETH : Pierre, s'il te plaît. Ne recommence pas.

Anna perçoit le malaise.

ANNA : Qu'est-ce qui se passe ?

Un temps.

VINCENT : Nos amis n'ont que moyennement apprécié le prénom de notre fils.

ANNA : Parce que tu leur as dit ?

PIERRE : Il n'a pas résisté. Il était trop fier !

ANNA : Ah… Ça ne vous a pas plu, alors ?

Un moment de gêne.

VINCENT : Non Anna, ça ne leur a pas plu.

Voyant le visage attristé d'Anna, Claude essaie d'intervenir.

CLAUDE : Ça nous a plus surpris que déplu.

ÉLISABETH : Oui, c'est ça. C'est de la surprise surtout.

PIERRE : Pas moi. Je suis désolé, Anna. Mais moi, il m'a plus déplu que surpris.

ANNA : C'est moi qui suis désolée. On pensait que la référence vous plairait.

Pierre s'étouffe.

PIERRE : La référence ?! Eh bien, c'est la référence qui nous a déplu, Anna. C'est justement la référence.

CLAUDE : Je ne pense pas que vous parliez de la même chose…

PIERRE : Moi, je pense qu'Anna comprend très bien ce que je veux dire.

ANNA : Je crois oui… Mais ce que je comprends moins c'est ta réaction.

PIERRE : Moi aussi je suis surpris. Que Vincent ait pu avoir cette idée à la rigueur, je comprends, mais toi ! Toi, ça me dépasse !

ANNA : Mais c'est moi qui lui ai proposé !

VINCENT : C'est vrai.

Pierre se lève.

PIERRE : Mais tu te rends compte de qui on parle ?
  De ce qu'il a fait ?

ANNA : *(de plus en plus confuse)* Ce qu'il a fait ? Mais je
  ne sais pas… Je ne l'ai jamais rencontré !

PIERRE : « Je ne l'ai jamais rencontré ! »… Mais
  elle s'écoute quand elle parle ?!

ÉLISABETH : Pierre !

ANNA : *(à Pierre)* « Elle », elle est là ! Donc si tu as
  un truc à lui dire, tu lui dis en face !

VINCENT : Anna…

PIERRE : Eh bien, tu es complètement folle ma
  pauvre fille !

ANNA : Pardon ?

ÉLISABETH : Pierre, tais-toi !

CLAUDE : *(à Pierre)* Ça suffit maintenant ! *(Il regarde
  Vincent.)* Vincent, ça va mal finir…

VINCENT : Écoutez…

PIERRE : *(à Vincent)* T'es content, toi ?! Voilà ce qui
  se passe quand on choisit ce genre de prénom !

ANNA : Mais de quoi je me mêle ? Et tu es qui
  pour me parler sur ce ton ?

Elle se lève à son tour.

ÉLISABETH : Pierre, excuse-toi.

VINCENT : Ma chérie, ce n'est pas ce qu'il voulait
  dire.

ANNA : Il est prof de français. Il sait très bien ce
  qu'il dit.

PIERRE : Effectivement, moi, j'ai le sens des mots
  et de leur portée.

ANNA : Je t'emmerde. J'appelle mon fils comme
  je veux !

PIERRE : Justement, non.

ANNA : Je suis désolée, mais je n'ai pas de cours de prénom à recevoir de quelqu'un qui appelle ses enfants Apollin et Myrtille !

Vincent, sentant le dérapage, s'interpose.

VINCENT : STOP ! C'ÉTAIT UNE BLAGUE ! UNE BLAGUE ! *(Tout le monde se tourne vers lui.)* On se calme ! Tout ça est un malentendu… Anna, je leur ai fait croire que nous voulions appeler notre fils Adolf. C'était idiot. Drôle mais idiot. Mais quand même très drôle. La colère de Pierre vient de là. *(À Pierre.)* Nous allons appeler notre fils Henri, comme papa et grand-père. Quand Anna parlait de référence, c'est à papa qu'elle pensait. OK ? *(Une certaine stupeur règne parmi les convives.)* … Alors maintenant, on se calme, on se rassoit, on se gave de *falafels* et de *tchoutchouka* et on s'embrasse. *(Après une hésitation, tout le monde se regarde et s'assoit. Anna fouille dans son sac. Vincent prend une corne de gazelle.)* Hummmmm… ! *(Anna sort son paquet de cigarettes. Vincent, la bouche pleine.)* Mange plutôt…

ANNA : Ta gueule !

Anna va à la fenêtre fumer une cigarette. Claude regarde Vincent l'air de dire : « Je t'avais prévenu, mon vieux… »

VINCENT : OK, c'était débile ! Vraiment très débile ! Je suis con et désolé ! Anna, je m'excuse. Pierre, je m'excuse… Je vous présente mes excuses, d'accord ? Claude, tu veux pas nous jouer un truc avec ton machin ? J'ai plombé l'ambiance. Babou, aide-moi…

ÉLISABETH : Bon. Est-ce que quelqu'un veut un thé à la menthe ? *(Silence. Claude se dévoue et lève la main.)* Pierre… ?

PIERRE : *(il la regarde en secouant la tête, navré)* Tu ne dis rien, toi ? Tu laisses passer, comme d'habitude.

ÉLISABETH : Je laisse passer quoi ?

PIERRE : Tu ne comprends pas que toute cette blague, au fond, c'était pour nous faire comprendre à quel point nos enfants ont des prénoms ridicules ?

VINCENT : Non Pierre, c'était juste une blague. Je suis tombé sur *Adolphe* dans ta bibliothèque.

PIERRE : Tu es aussi tombé sur *Les Frères Karamazov* mais tu n'as choisi ni Ivan, ni Dimitri…

VINCENT : Tu avoueras que ç'aurait été moins drôle.

PIERRE : *(froid)* C'est vrai qu'on se bidonne.

ÉLISABETH : Pierre… Il s'est excusé.

PIERRE : Vincent oui. Mais pas Anna.

ANNA : Tu peux continuer à m'appeler « ma pauvre fille » si tu veux.

VINCENT : Anna, s'il te plaît ! *(À Pierre.)* … Personne n'a dit que vos enfants avaient des prénoms ridicules.

PIERRE : Non. Elle a dit qu'elle n'avait pas de cours de prénom à recevoir de quelqu'un qui avait appelé ses enfants Apollin et Myrtille.

VINCENT : Pierre, c'est bon. Elle était énervée et…

PIERRE : *(le coupant)* Qu'est-ce que ça veut dire comme phrase ?

Vincent : Ça veut dire… Ça veut dire qu'elle n'a pas de cours à recevoir ! Qu'elle est assez grande pour choisir toute seule.

Pierre : Cette partie de la phrase, j'avais bien compris… C'est la fin qui m'interroge.

Vincent : Qu'est-ce que tu veux que je te dise, Pierre ?

Anna : Ça me paraît pourtant clair, il veut savoir ce que je pense vraiment du prénom de ses enfants.

Pierre : *(sans la regarder)* Exactement.

Vincent : Mais… elle les trouve très bien, vos prénoms !

Pierre : Vraiment ?

Vincent : Mais oui, vraiment. On trouve qu'Apollin et Myrtille, c'est mignon, c'est très mignon !

Il lui sourit avec un petit rictus. Pierre secoue la tête comme s'il venait d'avoir la confirmation de quelque chose.

Pierre : Je me demandais si tu la ferais. Tu l'as faite.

Vincent : J'ai fait quoi ?

Pierre : Ta grimace.

Vincent : Quelle grimace ?

Pierre : Celle que tu fais quand tu veux dire : « Cause toujours tu m'intéresses », ou : « Je dis oui pour te faire plaisir mais tu sais bien que c'est non. »

Vincent hausse les épaules.

Vincent : N'importe quoi…

Pierre : Je t'assure, tu fais une grimace.

VINCENT : Bon Pierre… Tu es énervé parce que je t'ai fait marcher. Mais on peut peut-être passer à autre chose ? *(Il se tourne vers Anna.)* Alors, mon amour, c'était comment avec les Japonais ?

ANNA : Je ne sais pas « mon amour ». Moi j'ai vu des Coréens.

Vincent ne se démonte pas.

VINCENT : Bon ben, c'était comment avec les Coréens ?

ANNA : Pourquoi ? Ça t'intéresse ?

VINCENT : Évidemment.

ANNA : Je ne savais pas. D'habitude, tu ne poses jamais de question.

VINCENT : *(taquin)* Regarde comment tu réagis quand je t'en pose !… Mais bien sûr que ton boulot m'intéresse !

Anna le jauge.

ANNA : Bon… Alors dis-moi comment s'appelle mon associé.

Un temps.

VINCENT : Ben heu… c'est heu… C'est machin, là… Le mec… Le mec qui t'a énervée l'autre jour. Tu sais ?

ANNA : Ah oui, moi je sais.

ÉLISABETH : Moi aussi !

CLAUDE : Moi aussi !

VINCENT : Mais moi aussi je sais, je vois que lui !… *(Il lance des pistes hasardeuses.)* An… Du… De… Co… *(Il lui sourit avec un petit rictus.)* Je l'ai sur le bout de la langue, je te le jure !

PIERRE : Tu viens de la refaire !

VINCENT : Quoi ?

PIERRE : Ta fameuse grimace.

Vincent soupire.

VINCENT : … Allez, montre-moi, je fais comment ?

PIERRE : Je ne sais pas… Un peu comme ça…

Il mime grossièrement un sourire narquois.

VINCENT : Je fais ça moi ? *(Aux autres.)* Franchement. Je fais ça moi ?

ÉLISABETH : Non, non…

VINCENT : *(à Pierre)* Ah, tu vois !

ÉLISABETH : Tu ne fais pas « ça », mais tu fais bien une grimace.

Vincent se tourne vers sa sœur.

VINCENT : Tu vas pas t'y mettre !

ÉLISABETH : Je suis désolée Vincent, mais tu fais une grimace. Enfin… une petite moue plutôt !

CLAUDE : Oui, c'est plutôt une petite moue…

VINCENT : Ah bon, et je fais quoi comme moue alors ?

ÉLISABETH : … Un peu comme ça.

Elle mime le rictus de Vincent.

PIERRE : Oui, c'est ça !

ÉLISABETH : *(imitant parfaitement le sourire de Vincent)* « Hum… Vraiment bien ta nouvelle… coupe ! »

PIERRE : Oui, c'est tout à fait ça !

ÉLISABETH : *(imitant parfaitement le sourire de Vincent)* « Ah ! Très élégantes tes nouvelles Mephisto, maman !… Drôlement classe ton Scénic, Pierre, drôlement !… Mais non, Anna, t'as pas grossi, t'as pas bougé !… Apollin et Myrtille, c'est très mignon, trèèès mignon ! »

Anna applaudit.

ANNA : C'est exactement ça !

Vincent regarde autour de lui.

VINCENT : N'importe quoi, je ne fais pas du tout ça !

CLAUDE : Si, je te jure.

Un temps.

VINCENT : Bon, OK… Si ça vous fait plaisir.

CLAUDE ET ANNA : *(le montrant du doigt)* Là, là !

PIERRE : Là, tu viens de la faire !

ÉLISABETH : *(imitant parfaitement le sourire de Vincent)* « Bon, OK… Si ça vous fait plaisir. »

Tout le monde éclate de rire.

VINCENT : Écoutez, si ma grimace veut dire que vous commencez à me gonfler, alors oui je fais une grimace, c'est bon ?!

ÉLISABETH : Ne te vexe pas. Tu demandes…

VINCENT : Babou. C'est bon.

ÉLISABETH : *(pour elle-même)* Ce que vous êtes susceptibles… *(Elle se lève. À la cantonade.)* Desserts ?

Claude se lève à son tour.

CLAUDE : Je vais t'aider.

ANNA : Moi aussi. *(Ils partent ensemble vers la cuisine. Anna s'éloignant dans le couloir, à Élisabeth.)* Tu n'as jamais eu envie de faire du théâtre ?

ÉLISABETH : *(disparaissant dans la cuisine)* Mais j'en fais un peu, au collège, avec les troisièmes.

Un silence. Pierre regarde Vincent.

PIERRE : *(à Vincent)* Donc…

VINCENT : Donc quoi encore ?

PIERRE : Donc tu trouves qu'Apollin et Myrtille, c'est ridicule…

Vincent souffle, énervé.

VINCENT : Lâche-moi, Pierre.

PIERRE : Je ne comprends pas…

VINCENT : Arrête de jouer au con. Tu sais bien que c'est pas des prénoms normaux quand même. Apollin et Myrtille. On dirait une chanson de Boby Lapointe !

PIERRE : Ma fille, ta nièce, TA filleule a un prénom anormal ? Ça veut dire quoi « normal » Vincent Larchet ?

VINCENT : Classique. « Pas original », si tu préfères.

PIERRE : Je préfère original à anormal, oui.

VINCENT : Tu joues sur les mots, Pierre Garaud.

PIERRE : C'est ce qu'on fait depuis tout à l'heure. Mais dis-moi, tu dirais qu'Adolphe, c'est normal ou original ?

VINCENT : Je dirais que c'est un prénom qui existe.

PIERRE : Comment ça, « qui existe » ? Apollin et Myrtille existent aussi puisqu'on les a appelés comme ça.

VINCENT : Écoute, tu commences à me courir avec Apollon et Myrtille…

PIERRE : C'est Apollin, pas Apollon.

VINCENT : On ne risque pas de se tromper.

PIERRE : Pardon ?

VINCENT : Il te ressemble. Il a ton nez.

PIERRE : Mon fils est laid ?

VINCENT : Il n'est ni beau ni laid, il a 4 ans.

PIERRE : Il a un prénom ridicule et il est moche ?

VINCENT : Ce n'est pas lui qui est ridicule, c'est

son père. C'est toi. Oui, je trouve ridicule cette mode de coller le nom de la mère à celui du père au nom de je ne sais quelle parité ; oui, je trouve ridicule cette mode de donner des prénoms qui n'existent pas, cette surenchère dans l'originalité. Ce n'est plus un prénom, c'est un Post-it collé sur le front : « Prière de ne pas oublier que je suis différent », « Prière de ne pas croire que je suis classique », « Ici habite une famille d'artistes de gauche abonnée à *Télérama* même s'ils n'ont pas la télé. » Voilà, c'est ça que je trouve ridicule.

PIERRE : C'est sûr qu'Henri Larchet ça sent bon le 4 x 4 et *Le Figaro Magazine*.

VINCENT : Mais je m'en fous ! Je m'en fous moi de l'image que je renvoie ! Je m'en fous moi de ce que les gens pensent de moi ! Toi tu es obsédé par l'image que tu renvoies et pire que tout tu es obsédé par l'image que renvoient tes enfants ! Tu penses être original mais tu es snob ! Juste snob !

Un moment de calme. Pierre enregistre ce qui a été dit.

PIERRE : Je suis obnubilé par mon image et toi tu t'en fous ? C'est sûrement la chose la plus drôle que tu aies dite ce soir.

VINCENT : C'est vrai qu'on se bidonne.

Élisabeth, Anna et Claude reviennent avec des pâtisseries orientales.

ÉLISABETH : Vous nous faites un peu de place, *please* ?

Seule Anna réagit et vient faire un peu de place sur la table basse.
Pierre, qui n'a pas lâché Vincent du regard, se lève et marche vers la bibliothèque.

PIERRE : C'est incroyable… Incroyable que tu me dises ça, toi. Toi qui représentes la quintessence, le concentré le plus pur, la substantifique moelle de l'égoïsme.

ÉLISABETH : Oh, Pierre…

VINCENT : Moi je suis égoïste ?

PIERRE : Non. Tu n'es pas égoïste. Tu es… « l'égoïsme ».

VINCENT : C'est marrant. Parce que je pense avoir une bonne dizaine de défauts mais celui-là…

ANNA : Une bonne dizaine, c'est un minimum…

ÉLISABETH : Moi, je trouve que Vincent est plutôt généreux.

VINCENT : Ah !

Petit sourire de Pierre, qui cherche parmi les livres de la bibliothèque.

PIERRE : Babou dit ça parce que ton égoïsme est savant, il n'est pas à la portée du premier venu…

ÉLISABETH : C'est charmant !

PIERRE : C'est une façon de parler… Vincent n'est pas sot, il ne porte pas son égoïsme à la boutonnière comme une Légion d'honneur. Non, il est habilement dissimulé, c'est une doublure de veste, qui au premier abord est invisible. *(Il se tourne vers Vincent.)* On ne se dit pas en te voyant : « Quel égoïste ce Vincent », pas du tout, c'est beaucoup plus subtil, c'est quelque chose qu'on ne remarque pas tout de suite et pourtant c'est bien là. Tu comprends ?

VINCENT : Non. Tu réfléchis depuis des hauteurs qui me sont inaccessibles, mon Pierre.

PIERRE : Mais si tu comprends. Tu comprends

très bien. Tu es également beaucoup plus intelligent que tu en as l'air.

Pierre trouve enfin le livre qu'il cherchait : un dictionnaire.

VINCENT : Ah quand même. Malgré tout, j'aimerais bien que tu me dises en quoi je suis égoïste, pardon, en quoi je suis « l'égoïsme »…

ÉLISABETH : Vincent !

VINCENT : … Je te jure, ça m'intéresse. Ça nous intéresse tous, hein ?

ANNA ET ÉLISABETH : Non !

PIERRE : Tu es une personne absolument, parfaitement obsédée par elle-même.

VINCENT : Si la question est de savoir si je suis obsédé, je plaide coupable.

Anna sourit malgré elle.

PIERRE : Toutes tes phrases commencent par « JE ». Tout doit toujours tourner autour de toi. Tu ne supportes pas de ne pas être le centre de tout. Et tu es prêt à tout pour l'être. À tout. Je crois vraiment que de toutes les personnes que j'ai pu rencontrer dans ma vie, tu es celle qui résume le mieux ce mot : « égoïsme ».

Pierre a un sourire jusqu'aux oreilles.

VINCENT : … Et donc tu trouves que j'ai toujours été « comme ça ».

PIERRE : Toujours, peut-être pas, mais ça fait un moment.

VINCENT : Quand ?

PIERRE : Quand quoi ?

VINCENT : Ce moment où ça a commencé, où tu l'as remarqué.

ÉLISABETH : Arrêtez, pitié, c'est insupportable.

VINCENT : Alors, quand ?

ÉLISABETH : Claude, dis quelque chose !

CLAUDE : Alors, quand ?

Claude sourit à sa propre blague.

ÉLISABETH : *(elle lui donne une petite tape)* Merci Claude.

PIERRE : Ça a commencé avec Moka.

VINCENT : Moka ?

PIERRE : Moka le chien, le chien de Bibiche.

ANNA : Qui… ?

ÉLISABETH : … Mais si, tu sais, la sœur de papa. Béatrice. Bibiche. Une grande femme blonde qui joue aux cartes et qui a épousé ce banquier de Limoges. Tu sais, ce type assez con… avec des poils sur les mains !

ANNA : Ah, lui !

VINCENT : Le chien de Bibiche, oui, et alors ?

PIERRE : Ne fais pas cette tête-là, par pitié, tu sais très bien de quoi je parle. *(Vincent a un geste d'incompréhension. Pierre se tourne vers Anna.)* Bibiche, donc, avait un caniche.

ANNA : Moka.

PIERRE : Exactement, un horrible truc frisé qu'elle considérait comme son enfant.

ÉLISABETH : *(à Anna)* C'est vrai, elle n'arrêtait pas de l'embrasser, c'était horrible… Et elle le parfumait, aussi ! Elle l'aspergeait de…

PIERRE : *(la coupant)* C'était une journée très chaude, un été, les grands faisaient la sieste, on s'emmerdait à mourir Vincent et moi.

ANNA : Vous aviez quel âge ?

Pierre : 11 ans, 12 ans…

Vincent : On avait 13 ans.

Pierre : Ah ! Tu as retrouvé la mémoire tout d'un coup ?

Anna : Alors, ce chien ?

Pierre : Bibiche nous avait dit que Moka avait peur de l'eau. Il ne la supportait pas. Comme un chat.

Élisabeth : Ce qu'il était con ce chien ! Tu te souviens, Claude ?

Claude : Évidemment ! C'était le…

Pierre : *(les coupant)* Il y avait un étang. On jetait des pierres sur les nénuphars, quand Moka s'est pointé. Il s'est mis à se frotter contre ma jambe.

Élisabeth : *(à Anna)* Pierre n'est pas du tout « chien ».

Pierre : … Et j'ai eu une idée. J'ai dit à Vincent : « Et si on jetait le chien à l'eau ? » *(Claude relève la tête. Élisabeth coule un regard oblique vers Pierre, qui continue son récit à Anna.)* … Pour faire une expérience, tu vois, pour rigoler comme on rigole à 13 ans. Mais Vincent n'était pas chaud, il trouvait que c'était con comme idée.

Vincent : C'était con comme idée.

Anna : Oui, très con même.

Pierre : J'ai pas réfléchi. J'ai donné un coup de pied au chien et il a volé dans l'étang.

Élisabeth blêmit.

Élisabeth : Quoi ?

Pierre : Et il s'est noyé.

Anna : Non ?

VINCENT : Si.

ÉLISABETH : *(à Pierre)* C'est toi qui as tué Moka ?!

PIERRE : Exactement. Avec Vincent on était pétrifiés, il a coulé comme une pierre dans l'eau noire, il y a eu quelques bulles et puis plus rien.

ANNA : Mais c'est horrible !

PIERRE : Non, c'est pas ça qui est horrible. Ça, c'est juste stupide. Ce qui est horrible, c'est que Vincent se soit dénoncé à ma place.

VINCENT : Excuse-moi de t'avoir sauvé les fesses !

Pierre ne se détourne pas d'Anna.

PIERRE : Tu vois comme il est ? Eh bien, à 13 ans, il était pareil, il m'a pris au piège. Parce que j'ai cru qu'il faisait ça par amitié. Mais pas du tout ! Tu sais ce qu'il a fait ? Il m'a volé mon statut d'assassin !

VINCENT : Je t'ai… Je suis le seul à avoir entendu ?… Babou, va chercher le caméscope ! Il faut filmer !

PIERRE : Même ça, il n'a pas voulu me le laisser ! Il m'a balayé, il m'a nié ! Et tu sais pourquoi il l'a fait ? Pour forger sa légende, pour tirer la couverture ! J'avais noyé ce pauvre clebs mais c'est lui qui s'est tourné vers Bibiche et qui lui a dit, avec un aplomb incroyable : « Bibiche, j'ai tué Moka. »

ÉLISABETH : Je n'en reviens pas !

PIERRE : Une fois de plus, tu étais Don Quichotte et moi Sancho Panza.

VINCENT : Hé Sancho, tu te souviens de la dérouillée que j'ai prise ?

Pierre se tourne enfin vers Vincent.

PIERRE : Je m'en souviens parfaitement, tout le monde s'en souvient parfaitement, Vincent. C'était le but. C'est très exactement comme Adolphe, juste là pour qu'on s'en souvienne, pour marquer les esprits. Un sommet d'égoïsme.

VINCENT : Pourquoi ? Parce que j'ai pas voulu partager les fessées !

PIERRE : *(il ouvre le dictionnaire et commence à lire)* … « Égocentrique, égotiste, intéressé, narcissique. Qui n'est occupé que par son intérêt propre. Qui ne reconnaît d'autre vérité que celle de sa propre existence »… Tu es la définition du mot « égoïste », Vincent.

Silence. On assiste au triomphe de Pierre, qui pérore.

VINCENT : Ben… Tant que tu es dans le dico, regarde donc à « R ».

PIERRE : … À « R » ?

VINCENT : Oui. R comme radin.

Claude éclate de rire.

PIERRE : Quoi ?!

VINCENT : Tu as trouvé mon adjectif, je cherche le tien.

PIERRE : Radin ? C'est tout ce qui te vient ?

VINCENT : Je ne dirais pas que c'est tout, mais ça me vient, oui… Ça me vient même assez vite.

Anna tente de couper court.

ANNA : Bon, alors ça c'est fait : un set partout, match nul ! Et si on faisait une petite pause dans le combat de coqs ?

ÉLISABETH : Ça serait bien.

PIERRE : Il n'y a pas de match nul au tennis.

ANNA : Quoi ?

PIERRE : Tu as dit : « Un set partout, match nul. » Ça ne veut rien dire.

ANNA : Tu sais que t'es assez chiant quand tu t'y mets.

PIERRE : Je suis même très chiant avec le français.

ANNA : J'oubliais que tu avais le sens des mots et de leur portée.

PIERRE : On ne se refait pas.

ANNA : Écoute Pierre, j'essayais juste de temporiser. Maintenant, si tu veux absolument retourner dans l'arène te prendre des banderilles, enfile ton collant et fonce, je t'en prie ! Allez, après toi… gros radin !

ÉLISABETH : Mais arrêtez avec ça ! Pierre n'est pas du tout radin !

VINCENT : Il est avare, pingre, chiche, si tu préfères. Il a un problème avec l'argent.

PIERRE : *(à Vincent)* Tu serais généreux et je serais radin, c'est ça ? Tu serais généreux parce que tu as offert un iPod à Myrtille pour ses 4 ans ? Excuse-moi de ne pas avoir ton fric.

VINCENT : C'est sûr que les morceaux de bois ça n'a pas dû te ruiner.

PIERRE : C'était un mikado, connard !

VINCENT : Tu aurais mon fric, ça serait pareil.

PIERRE : Parce que je refuse de pourrir les enfants ?

VINCENT : Parce que tu es incapable de dépenser un sou sans y réfléchir à dix fois. Il suffit de voir comment tu tiens ton porte-monnaie. Ton petit porte-monnaie. Tu le serres tellement qu'à chaque fois que tu sors une pièce, on a l'impression que tu arraches un clou. Tu es une pince, Pierre !

PIERRE : La pince est heureuse de t'avoir invité.

VINCENT : C'est ta femme qui nous a invités.

ÉLISABETH : Pierre n'est pas une pince. C'est même quelqu'un de… de…

VINCENT : De quoi ? De dépensier ? Enfin Claude, merde, dis quelque chose.

CLAUDE : *(emmerdé)* Eh bien…

Pierre se tourne vers Claude.

PIERRE : Ah, parce que tu en es toi aussi ? Toi aussi tu trouves que je suis radin ?

CLAUDE : *(emmerdé)* Je… Disons que tu es quelqu'un qui fait attention.

ÉLISABETH : Oui, c'est ça ! Il fait « attention » !…

VINCENT : En langage Claude, ça veut dire : « T'es une sacrée pince mon Pierrot. »

CLAUDE : Je n'ai pas dit que…

PIERRE : Mais tu le penses. C'est bon, Claude. *(Il range le dictionnaire.)* Je suis content de voir que, grâce à moi, vous avez trouvé un terrain d'entente, tous les deux. *(Un temps.)* Maintenant que vous avez cette proximité, cette sincère relation basée sur la franchise, j'imagine, mon petit Claude, que Vincent t'a dit comment il te surnommait ?

Vincent foudroie Pierre du regard.

ÉLISABETH : Pierre ! Ça suffit maintenant.

ANNA : Vous vous valez bien tous les deux ! Vous monopolisez le dîner depuis tout à l'heure. Est-ce que vous vous êtes demandé une seule fois si votre discussion nous intéressait ?

Les garçons ne bronchent pas mais n'en pensent pas moins.

ÉLISABETH : Elle a raison.

ANNA : Est-ce que l'un de vous a au moins félicité Babou pour son dîner ?

VINCENT : Mais bien sûr !

ÉLISABETH : Non.

PIERRE : Mais si on l'a dit !

ÉLISABETH : Ah oui ? Quand ?

VINCENT : Euh… On l'a dit quand tu étais dans la cuisine !

ÉLISABETH : Bien sûr !

CLAUDE : C'est quoi mon surnom, Vincent ?

ANNA : Claude, s'il te plaît, arrête avec ça.

ÉLISABETH : Oui, ne t'y mets pas toi non plus, s'il te plaît.

VINCENT : Laisse tomber.

CLAUDE : J'aimerais bien connaître mon surnom.

ANNA : Non, tu n'aimerais pas le savoir.

CLAUDE : Mais enfin, qu'est-ce que ça peut faire ?

ANNA : Exactement : « Qu'est-ce que ça peut faire ? »

CLAUDE : Je voudrais juste…

ÉLISABETH : *(le coupant)* Pourquoi tu ne veux pas nous faire confiance ? Arrête avec ça. Tu vaux mieux que ces deux crétins.

CLAUDE : *(plus ferme)* Vincent, quel est mon surnom ?

ANNA : Vincent, je t'interdis…

CLAUDE : Tu lui interdis ! Non mais je rêve !

ANNA : Claude. Arrête. S'il te plaît.

CLAUDE : Je veux savoir !

Un temps.

PIERRE : « La Prune. »

ÉLISABETH : Pierre !

ANNA : Bravo Pierre. Très malin.

CLAUDE : Quoi ?

ANNA : Il t'appelle « la Prune ». Voilà, tu es content ?

CLAUDE : « La Prune »… Comme une contravention ?

ÉLISABETH : *(désolée)* Non Claude, comme une reine-claude.

Tout le monde est interdit.

CLAUDE : La reine-claude ? Je ne comprends pas.

VINCENT : Ça va. Arrête de jouer au con. Tu as très bien compris.

ÉLISABETH : Mais ça ne nous dérange pas. On t'aime comme ça.

Claude regarde ses amis. Il est abasourdi.

CLAUDE : Mais de quoi vous parlez ?

VINCENT : La reine Claude. Tu ne comprends pas ? Vraiment ?

CLAUDE : Non, je ne comprends pas. Vraiment.

VINCENT : Une reine… Une *queen*, une cocotte, une mignonne, une tata si tu préfères ! Tu as compris, là ?

CLAUDE : *(interdit)* … Tu penses que je suis homosexuel, c'est ça ?

Un temps.

PIERRE : Tu sais Claude, je me sens beaucoup mieux depuis que j'ai avoué pour Moka.

Tout le monde regarde Claude.

CLAUDE : Je suis désolé, mais je ne suis pas du tout homosexuel.

VINCENT : Eh bien, tu es le seul à ne pas le savoir !

ANNA : Vincent !

CLAUDE : Vous avez entendu ce que j'ai dit ?

PIERRE : Tu peux nous le dire…

ÉLISABETH : Après tout, s'il n'a pas envie de nous le dire, ça le regarde. C'est sa vie.

CLAUDE : Mais si je l'étais, je vous le dirais. Ce n'est pas une honte, il n'y a rien à « avouer » ! Mais je ne le suis pas. Je ne vais quand même pas…

VINCENT : *(le coupant)* Écoute, Claude. Tu as 38 ans, tu as toujours été célibataire, tu es musicien, tu vis dans le Marais, tu portes de l'orange – qui porte de l'orange, à part à Guantánamo, mais ils sont obligés –, tu fais des clafoutis, des manucures, tu écoutes Étienne Daho et tu mets de l'encens chez toi…

CLAUDE : C'est du papier d'Arménie.

VINCENT : Si tu veux. Enfin c'est parfumé.

CLAUDE : Et alors ?

VINCENT : Quelqu'un qui ne mange pas de viande c'est un végétarien. Ce n'est pas un reproche, c'est un constat.

Un temps.

CLAUDE : Mais vous êtes consternants… Je ne sais plus quoi dire devant tant de clichés et de bêtises. J'aimerais les garçons parce que je porte des chemises orange ? Mais vous réalisez ce que vous dites ? J'aime aussi Visconti et Cary Grant, je suis surpris que vous n'en ayez pas parlé.

ÉLISABETH : On ne te jugeait pas.

CLAUDE : Non, bien sûr.

Un silence. Anna rallume une cigarette sans se donner la peine de rejoindre la fenêtre.

VINCENT : Écoute, on s'est trompés visiblement. Pardon !

ANNA : Vincent, ça va…

VINCENT : Je m'excuse. Je ne savais pas qu'il aimait les filles. *(Un temps.)* Parce que tu aimes les filles, donc ?

CLAUDE : J'en aime une en tout cas.

Stupeur d'Élisabeth et de tout le monde.

ÉLISABETH : Quoi ? Tu as rencontré quelqu'un ?

CLAUDE : Oui.

ÉLISABETH : C'est vrai ?

CLAUDE : Oui Babou.

ÉLISABETH : Mais vous êtes ensemble ? En vrai ?

CLAUDE : Oui.

ÉLISABETH : *(sonnée)* Mais pourquoi tu ne m'en as pas parlé ?

Les traits d'Anna se tendent. Vincent, convaincu que Claude bluffe, surenchérit.

VINCENT : Raconte. Vas-y ! Elle est comment, grande, petite ? Brune, blonde ? Gros seins ? Allez, ne sois pas timide, raconte !

ANNA : Arrête Vincent. Tu es lourd maintenant.

VINCENT : Quoi ?! Attends… On a le droit de savoir non ? Allez, raconte !

Claude : Je n'ai pas très envie d'en parler avec toi
ce soir.

Vincent : Ah non, et pourquoi ? Je ne comprends pas bien. Tout à l'heure, tu nous as
reproché de jouer des rôles mais dès que la
conversation devient sérieuse, tu te planques.
Tu te caches. Je ne sais pas si t'es pédé Claude,
mais je peux te dire un truc, c'est que tu es un
sacré lâche !

Un temps.

Claude : *(froid)* Qu'est-ce que tu veux savoir,
Vincent ?

Anna : Arrête, Claude, ne rentre pas dans son
jeu.

Vincent : Mais quel jeu ?! Ça fait trente ans qu'on
grandit ensemble et on ne sait rien de lui ! Il ne
dit jamais rien !… On dirait un greffier.

Claude : Qu'est-ce que tu veux savoir ? Vas-y.
Pose tes questions.

Anna échange un regard avec lui et s'éloigne, excédée.

Vincent : C'est une femme alors ?

Claude : Oui.

Vincent : Vous êtes ensemble depuis quand ?

Claude : Plusieurs années.

Nouvelle stupeur d'Élisabeth.

Élisabeth : Quoi ? Tu es avec quelqu'un depuis
des années et tu ne m'en as jamais parlé ?

Vincent : Elle est belle ?

Claude : Superbe.

Anna : Arrête Claude. Arrête maintenant. Pas
comme ça.

ÉLISABETH : Mais pourquoi tu ne veux pas qu'il nous le dise ?

ANNA : Parce que Babou… Il n'a pas de comptes à nous rendre. C'est sa vie.

PIERRE : *(il percute)* Mais attends, Anna, tu la connais ?!

Claude et Anna se regardent.

CLAUDE : Oui, Anna la connaît.

VINCENT : Et nous aussi, on la connaît ?

CLAUDE : Oui.

VINCENT : *(moqueur)* C'est pas Antoine Flemmadon, par hasard ?

Personne ne rit à part Vincent et Pierre.

CLAUDE : Non. C'est quelqu'un que tu connais beaucoup mieux.

Vincent le regarde. Une pointe d'inquiétude commence à poindre.

VINCENT : Comment ça, beaucoup mieux ?

CLAUDE : Beaucoup mieux. Mieux que personne, même.

VINCENT : Quoi… ?

ANNA : Ça suffit maintenant, Claude. Dis-leur la vérité ! *(Vincent est ébranlé. Son regard va de Claude à Anna.)* Tu es allé trop loin…

Vincent regarde sa femme. Il a peur d'avoir compris.

VINCENT : *(pour lui-même)* Oh non…

ANNA : *(à Claude)* Ça a assez duré. Dis-leur s'il te plaît.

ÉLISABETH : *(pour elle-même)* Oh non…

ANNA : Dis-leur ou c'est moi qui leur dis.

PIERRE : *(pour lui-même)* Oh non…

CLAUDE : D'accord. D'accord. Je vais leur dire !

VINCENT : *(paniqué, à Anna)* Attends, qu'est-ce qu'il va nous dire ?

CLAUDE : Je suis désolé Vincent. Je ne voulais pas que ça se passe comme ça.

VINCENT : Anna. C'est pas possible. Tu… T'as pas fait ça ?

ANNA : J'ai pas fait quoi ?

VINCENT : Toi, toi et lui là-bas, vous…

ANNA : *(elle percute)* … Mais non. Non, Vincent, ce n'est pas ça.

VINCENT : C'est sûr ?

CLAUDE : C'est pas du tout ça Vincent, pas du tout.

VINCENT : *(rire nerveux)* Oh putain ! Putain, tu m'as fait peur ! *(Il se rassoit. Il se tient le cœur.)* J'ai vraiment cru que…

PIERRE : Moi aussi !

VINCENT : Oh putain !

Tout le monde se détend sauf Élisabeth.

ÉLISABETH : Mais tu es avec qui alors ?

Claude respire un grand coup. Il lui prend la main.

CLAUDE : Babou… Je suis avec Françoise.

ÉLISABETH : … Françoise qui ?

CLAUDE : Françoise, ta mère.

ÉLISABETH : Hein ?!

Elle comprend, mais pas Vincent…

VINCENT : Quoi, sa mère ?

CLAUDE : Je suis avec Françoise, Vincent.

Vincent regarde autour de lui. Il refuse de comprendre.

VINCENT : Mais putain, c'est qui « Françoise Vincent » ?!

ÉLISABETH : *(elle explose)* Mais non, « Françoise maman » !

Vincent a peur de comprendre, tout à coup.

VINCENT : Comment ça, tu « es » avec maman ?

CLAUDE : On est ensemble.

Vincent se fige.

VINCENT : Hein ?!

CLAUDE : Vincent, je…

VINCENT : Tais-toi !

Il écarte les bras et lui fait signe de se taire. Il prend la bouteille de whisky.

PIERRE : Oh putain…

Le regard de Pierre, abasourdi, va de Claude à sa femme.

ÉLISABETH : Et moi qui croyais qu'on était proches !

CLAUDE : Mais on est proches, Babou.

ÉLISABETH : Je pensais que tu me faisais confiance. Tu ne m'as rien dit.

CLAUDE : Mais je te fais confiance.

ÉLISABETH : Moins qu'à Anna visiblement.

CLAUDE : Ça n'a rien à voir.

ÉLISABETH : *(à Anna)* Tu savais depuis quand ?

ANNA : Babou. Ce sont vos histoires. Je ne veux pas m'en mêler…

VINCENT : Tu savais depuis quand ?

CLAUDE : Vincent…

VINCENT : *(il lève la main)* Toi, tu m'adresses encore une fois la parole, je te fous ton trombone dans le cul. *(À Anna.)* Tu le sais depuis quand ?

ANNA : Vincent, je comprends que vous soyez blessés. Je comprends même que vous puissiez vous sentir trahis. Mais personne ne voulait vous faire du mal. Personne…

VINCENT : Ne fais pas l'assistante sociale. Je t'ai posé une question ! Tu le sais depuis quand ?

ANNA : Ça changera quoi ?

VINCENT : Ça changera que je veux savoir depuis quand ma femme me ment.

ANNA : Tu dis toujours que tu préfères ne pas tout savoir. Que chacun doit avoir son « jardin secret », « sa part de liberté », « qu'il ne faut surtout pas tout se dire ».

VINCENT : Alors il ne fallait rien me dire !

ANNA : J'ai essayé ! Mais tu n'as rien écouté. Tu n'en as fait qu'à ta tête. Comme d'habitude.

VINCENT : C'est ça, ça va être de ma faute.

ANNA : C'est une histoire entre ta mère et ton meilleur ami. Je comprends que ça puisse être difficile à accepter. Mais ce n'était pas à moi d'en parler. C'était une décision qui leur appartenait. Si tu ne comprends pas ça, alors je ne peux rien pour toi. Et arrête de boire maintenant.

VINCENT : Je bois si je veux.

ÉLISABETH : Elle a raison. Ce n'était pas à elle de nous le dire. *(À Claude.)* C'était à toi.

CLAUDE : Votre mère n'était pas prête. Elle pensait que vous ne comprendriez pas.

ÉLISABETH : Ça n'a rien à voir, ç'aurait été une autre, un autre, n'importe qui, je m'en fous, ça aurait été pareil.

VINCENT : Mais de quoi tu parles ?! Il couche avec maman !

Élisabeth : Mais arrête avec maman ! « Maman, maman, maman. » T'as plus 8 ans ! Grandis un peu ! Ta mère aime un homme, et alors ? Papa n'avait qu'à pas fumer deux paquets de clopes par jour ! *(Vincent est séché. La violence de sa sœur le calme.)* Claude et moi, on est amis depuis trente ans. Depuis trente ans, il n'y a pas un jour où on ne s'est pas appelés, vus ou écrit. Pas un ! *(Claude esquisse un geste qu'Élisabeth esquive.)* Tous ces moments qu'on a passés ensemble, tous les deux, où je me laissais aller à te raconter ma vie, où je me disais : « Vas-y ma fille, lâche tout, c'est Claude, tu sais tout de lui, il sait tout de toi… »

Claude : Babou…

Élisabeth : Et moi qui me sentais coupable, souvent, si, je t'assure, d'avoir des enfants, d'avoir Pierre, parce que tu étais tellement tout seul, et je m'épuisais à essayer de te trouver quelqu'un, quelqu'un de bien, quelqu'un pour toi, qui aimerait les jolies choses, la musique, qui aurait une fragilité, comme toi… Quelle conne !

Pierre s'approche.

Pierre : Babou… Essaie de le comprendre… Ce n'était pas contre toi, c'était son secret, c'est tout, il lui fallait sûrement un peu de temps…

Élisabeth : Pour qu'un secret existe, il faut être deux, visiblement. *(Elle jette un coup d'œil à Anna avant de revenir à Pierre.)* Je dis juste à Claude que j'aurais aimé être cette personne-là… Parce que moi, je ne lui ai jamais rien caché.

PIERRE : … Personne ne dit tout, personne ! Tout le monde a des secrets, des moments qu'on ne partage pas, des morceaux de vie cachés.

ÉLISABETH : Il a tout su. Les bons moments, les mauvais, je lui ai raconté les accouchements, les problèmes des enfants, les bobos, les larmes, tout… Même quand tu as eu tes petits problèmes, je lui ai dit.

PIERRE : *(il se décompose)* Quoi ?! Tu es folle ! C'est…

ÉLISABETH : C'est quoi ? Intime ? Privé ? Personnel ? Mais ça sert à quoi les amis si on ne peut pas leur parler de ce qui compte vraiment ? Je revois toutes les nuits qu'on a passées à discuter… Comment tu as pu… ? Comment ?

Elle est rattrapée par les larmes. Pierre se rassoit, tout cramoisi.

CLAUDE : Mille fois j'ai voulu te le dire. Mais je ne pouvais pas.

ÉLISABETH : Alors dis-moi pourquoi tu l'as dit à Anna.

ANNA : On ne m'a rien dit, Claude ne m'a rien dit… Je l'ai su, c'est tout.

L'intervention d'Anna sort Vincent de sa torpeur.

VINCENT : Quoi « tu l'as su » ? Ça veut dire quoi cette phrase ? T'es médium ?

ANNA : Il n'y a pas eu de confidence.

Un temps. Claude crève l'abcès.

CLAUDE : Elle nous a surpris un jour à La Castide.

VINCENT : *(il se met les mains sur les oreilles)* Arrête… Arrête…

CLAUDE : Babou… Il y a des mots qui sont impossibles à dire, j'avais peur de tout abîmer, que vous ne puissiez pas comprendre l'amour qu'il y a entre Françoise et moi… Françoise, c'est ma…

VINCENT : *(il hurle)* STOP ! *(Le silence retombe.)* Tu te rends compte que tu parles de maman, là ? Maman. Celle qui t'a accueilli à La Castide quand tu étais petit, celle qui t'a fait des tartines de Nutella et qui t'a payé des « Club des cinq » pour tes anniversaires ? La femme d'Henri, tu te souviens, Henri, mon père ?

ANNA : Arrête Vincent, tu te tortures, c'est débile.

VINCENT : Je suis débile si je veux, je me torture si je veux.

CLAUDE : Je comprends très bien que tu ne puisses pas comprendre…

VINCENT : Papa t'aimait tellement. Claude par-ci, Claude par-là… Toujours à te plaindre, à te filer un coup de main… C'est ça qui me tue le plus… Tu me dégoûtes !

ÉLISABETH : Écoute Vincent, tu te calmes ou tu t'en vas !

VINCENT : Très bien, je m'en vais.

Il marche jusqu'au portemanteau.

ÉLISABETH : Non, tu te calmes et tu restes ! C'est toi qui as voulu qu'il parle alors maintenant, on va l'écouter ! *(Vincent commence à enfiler sa veste.)* Vincent !

Tout le monde observe Vincent, qui finit par se rasseoir, très contrarié.

CLAUDE : Il n'y a pas un jour où je ne pense pas à votre père. *(Un temps.)* Je revois toujours ce moment, cette image de tes parents la première fois que je les ai vus… C'était dans l'appartement de la rue Monge, juste avant Noël, ton père était perché sur l'escabeau, il installait des guirlandes sur un immense sapin, enfin il essayait, c'était une catastrophe, et Françoise riait, ça l'amusait de voir ton père s'emmêler les pinceaux, et il y avait entre eux une complicité incroyable, vraiment magique, quelque chose que je n'avais jamais vu avant. *(Il reprend son souffle. On sent qu'il est pris par le souvenir.)* Ce jour-là, tes parents m'ont accueilli, vous m'avez tous accueilli. Vous m'avez donné votre amour, votre amitié, et ça sans compter, sans rien demander en retour, jamais. Babou est devenue ma meilleure amie, un prolongement de moi-même, et toi Vincent, tu m'as protégé. Tu t'es toujours foutu de ma gueule, tu t'es toujours tenu à distance, mais tu l'as fait comme un frère. Et Françoise m'a fait faire de la musique. Ça aussi, je lui dois, en plus de tout le reste. Pendant toutes ces années, elle m'a accompagné, elle m'a permis de devenir quelqu'un. *(L'énervement d'Élisabeth baisse d'un cran.)* C'est juste après la mort d'Henri que tout a changé. *(Un temps. On entend les mouches voler.)* J'étais en pleine répétition, dans la fosse d'orchestre, mes mains se sont mises à trembler. Ça a craqué, tout est remonté. J'ai compris que j'aimais une femme que je n'avais pas le droit d'aimer. C'est là que j'ai décidé de ne plus la voir. Pour vous, il fallait que je l'oublie. Pour toi Babou, pour toi

Vincent… Alors j'ai décidé de m'éloigner. J'ai accepté toutes les tournées et je suis parti.

ÉLISABETH : *(se souvenant)* Au Canada.

CLAUDE : Oui. Je fuyais. Françoise n'a pas compris, elle a cru que la mort d'Henri m'avait éloigné d'elle, qu'elle ne comptait plus, que j'avais tout balayé, comme ça, d'un revers de main. C'était tout le contraire… J'ai vraiment essayé de l'oublier, de la chasser de mes pensées, mais plus les mois passaient et plus je dépérissais, plus j'étais incapable de jouer. Alors j'ai arrêté, je suis rentré à Paris. Je devenais fou. Je… *(Pierre prend la main d'Élisabeth. Vincent relève la tête, les yeux rouges.)* Une nuit, j'ai pris la voiture et j'ai roulé sans m'arrêter jusqu'à La Castide. Il fallait que je la voie, il fallait que je lui parle, je ne pouvais plus garder ça pour moi. Je suis arrivé à l'aube. La maison était plongée dans le brouillard, on n'y voyait pas à deux mètres. Il y a eu un bruit de ferraille, un bruit de porte et Françoise est apparue. Elle n'avait pas l'air surpris, non, elle m'a juste fait signe d'approcher, comme si elle m'attendait, comme si elle m'avait toujours attendu… *(Il s'interrompt. L'émotion est palpable. Tout le monde retient son souffle et se tourne vers Vincent, attendant sa réaction. Vincent, vaincu, hoche la tête en signe d'assentiment. Tout le monde respire. Encouragé, Claude reprend.)* On est restés là, je ne sais pas, une minute peut-être ?… dans le froid, l'un face à l'autre. J'étais vidé, épuisé, mais j'étais bien. J'étais là où je devais être. *(Il s'approche de Vincent et pose sa main sur son épaule.)* Tu comprends ? Tu comprends ce que j'ai ressenti ? *(Vincent hoche de nouveau la tête.)* C'était l'évidence. Ça nous a sauté aux yeux. C'était… tellement simple.

Vincent soupire en hochant la tête.

VINCENT : … Je comprends.

CLAUDE : La pluie a commencé à tomber. Il y avait des gouttes sur le visage de Françoise, ça ruisselait comme des larmes, ou alors c'était vraiment des larmes, je ne sais pas… Mais c'était beau. *(Élisabeth renifle, sérieusement émue, tout comme Anna.)* Alors Françoise a pris ma main, et elle m'a dit : « Viens, j'ai envie de toi. »

Sans crier gare, Vincent se redresse et se précipite sur Claude en hurlant.

VINCENT : ENFOIRÉ !!!

Il saute sur Claude. Les deux hommes tombent sur la table basse. La méchouia vole. Élisabeth hurle. Anna et Pierre s'interposent.

PIERRE : Vincent ! Arrête !

Anna et Pierre tirent Vincent en arrière.

ANNA : VINCENT !!!

Vincent se redresse et recule.

VINCENT : Ça va, ça va !

Il s'écarte. Anna aide Claude à se relever. Il saigne du nez. On entend soudain de nouveaux pleurs d'enfant. Élisabeth regarde les assiettes par terre, la blessure de Claude. Une vision du chaos.

ÉLISABETH : *(les larmes aux yeux)* Bravo. Super. Vraiment merci.

Elle quitte la pièce. Anna et Pierre ramassent les bols et les assiettes tombés par terre. Vincent, lui, tourne en rond comme un lion en cage, reprenant son souffle. Claude tente de retenir le sang qui lui coule du nez.

PIERRE : *(à Claude)* Tu veux de la glace ?

CLAUDE : Non, mais je veux bien du Sopalin.

Pierre attrape le Sopalin sur la table basse et lui tend.

ANNA : *(à Vincent)* C'est bon ? T'es calmé ?

Vincent acquiesce mais on sent que la tension n'est pas encore retombée. Pierre s'approche de Claude.

PIERRE : *(à Claude)* Laisse-moi regarder quand même…

ANNA : *(à Vincent)* Tu te rends compte de ce que tu viens de faire ? Dans quel état tu te mets ?

VINCENT : C'est pas en me disant de me calmer que je vais me calmer…

PIERRE : *(à Claude)* Tu saignes de la bouche aussi…

ANNA : *(à Vincent)* Ah parce qu'il ne faut rien te dire en plus ?!

VINCENT : Anna, c'est bon.

ANNA : Non, c'est pas bon du tout. Regarde ce que tu as fait.

CLAUDE : Ça va, Anna, c'est rien.

ANNA : Il t'a pété la gueule, merde ! Arrête de le défendre ! Tu vas peut-être bien mais moi pas. Je veux qu'il te fasse de vraies excuses, et crois-moi il va le faire.

VINCENT : Sinon quoi ?

Pierre regarde la bouche de Claude.

PIERRE : J'ai l'impression que tu as un petit bout de dent cassé…

ANNA : Sinon quoi ? Tu veux jouer à ça ? Fais attention, Vincent.

VINCENT : C'est lui qui devrait s'excuser.

PIERRE : *(à Claude pour détendre l'atmosphère)* Tu vas pouvoir faire la petite souris !

Vincent : C'est lui qui a commencé.

Anna : C'est lui qui a commencé ? Je rêve ! Tu t'entends ? *(Vincent hausse les épaules.)* C'est pas toi qui parles comme ça, c'est pas possible ! C'est pas l'homme avec qui je vis depuis deux ans. L'homme que j'aime. Parce que tu l'as compris, ça, que j'étais amoureuse ? Et que c'est pour ça que ça fait une heure que j'essaie de pas te détester… Mais c'est de plus en plus dur.

Vincent : Tu préfères quand je suis puéril, égocentrique et que je fais des grimaces ?

Anna regarde Vincent en secouant la tête.

Anna : Et c'est de toi que j'attends un enfant ?

Vincent : C'est ce que tu m'as dit en tout cas.

Anna : Pardon ?

Pierre : SOS dentiste, ça existe ?

Claude : Ça va, Pierre, ça va…

Vincent : *(à Anna)* Je ne sais pas, tu as peut-être d'autres révélations à me faire ?

Anna : Pardon ?

Pierre : *(à Claude)* Ton nez coule drôlement. Tu devrais lever le bras, comme ça… *(Claude accepte de lever le bras.)* Voilà.

Anna : *(à Vincent)* Je ne t'ai jamais menti sur nous. Jamais.

Vincent : Et comment je peux en être sûr ? Je vais être comme saint Thomas, moi maintenant, je ne croirai que ce que je verrai.

Anna : Eh bien, continue comme ça et c'est ton fils que tu ne verras pas. *(Vincent ricane.)* Ça te fait rire ?

Vincent arrête de rire.

VINCENT : Qu'est-ce que tu veux ? Que je lui demande pardon ?

ANNA : Oui.

VINCENT : OK… Claude, je suis vraiment désolé. Je n'aurais pas dû te mettre mon poing sur la gueule même si tu l'as amplement mérité.

CLAUDE : Je suis désolé que tu le prennes si mal, mais je n'avais pas d'autorisation à te demander.

VINCENT : Ça ne m'a pas échappé.

CLAUDE : Nous sommes deux adultes, Françoise et moi…

VINCENT : Surtout elle.

ANNA : Vincent !

VINCENT : Quoi, ils ont trente ans d'écart !

ANNA : Je comprends mieux pourquoi Françoise ne voulait rien vous dire.

Vincent fait un pas vers Anna.

VINCENT : Ah parce que vous en avez parlé en plus ?!

ANNA : Oui, des dizaines de fois. Je leur disais de vous faire confiance, que vous comprendriez… Mais visiblement, j'avais tort. Regarde-toi !

Élisabeth revient.

ÉLISABETH : Si vous pouviez arrêter de hurler maintenant ?! Les enfants sont couchés et j'aimerais en faire autant. *(Elle traverse la pièce et commence à débarrasser. Son entrée a jeté un froid. Elle commence à empiler les assiettes quand le téléphone sonne. Elle décroche, un plat vide à la main.)* Allô… Ah, salut maman ! *(Tout le monde se regarde.)* Ah non… Tout va bien, tout s'est très bien passé. L'ambiance était très bonne… Le dîner était très bon. Oui j'ai suivi ta recette, tout le monde s'est régalé. J'ai le plat entre les mains, il n'en reste plus une miette… Les raisins ? Ni gonflés, ni fripés, peut-être un peu écrasés maintenant qu'ils sont sur la moquette… Pourquoi ? Écoute, ce serait un peu long de rentrer dans les détails, mais en gros, après que Vincent nous a annoncé qu'il voulait appeler son fils comme Hitler, lui et Anna – qui est encore arrivée avec une heure de retard – nous ont avoué qu'ils trouvaient les prénoms de nos enfants ridicules. Tu vas me dire que ce n'est pas grand-chose à côté du meurtre de Moka, mais quand même. Moka, maman, le chien de Bibiche ! Ah j'oubliais… Ton fils chéri, qui ne peut pas blairer les Rozenthal et tonton Hector, pense venir à La Castide le week-end du 36-37. Remarque, maintenant qu'il a pété le nez de ton amant, il a peut-être changé d'avis. De Claude, maman ! Pourquoi, tu en as d'autres ?… Je te le passe. C'est maman.

Élisabeth passe le téléphone à Claude et part dans la cuisine.

CLAUDE : D'accord… Oui et non… Je te rappelle… D'accord… Moi aussi. *(Il raccroche. Élisabeth revient avec une éponge.)* Françoise vient à Paris demain.

ÉLISABETH : Elle rentre plus vite que quand il s'agit de ses petits-enfants.

PIERRE : Babou, tu devrais la rappeler pour t'excuser.

ÉLISABETH : Pour m'excuser ? Tu veux que je demande pardon à ma mère ? Toi ?

PIERRE : Écoute Babou…

ÉLISABETH : Et moi ? Qui va me demander pardon à moi ? Tu vas me demander pardon, Pierre ?

PIERRE : *(perdu)* … Te demander pardon ?

ÉLISABETH : Oui, Pierre, solliciter mon indulgence, faire acte de contrition, demander une preuve que je t'aime encore malgré toutes les vacheries que tu m'as faites. C'est ça le pardon, non ?…

PIERRE : Mais euh…

Élisabeth s'approche de Pierre, qui la regarde avec des yeux exorbités.

ÉLISABETH : C'est quoi cet air ahuri ? Je suis folle moi aussi, c'est ça, ou c'est juste du langage corporel pour que les autres comprennent bien que tu ne sais pas du tout de quoi je parle ?

PIERRE : Mais je…

ÉLISABETH : Tu penses que tu vas te dédouaner avec tes yeux ronds, que ça va faire la blague, qu'on va se dire : « Oh ! lala ! le pauvre avec sa bonne femme hystérique qui lui fait des scènes » ? Pfff… Tu verrais ta gueule, Pierre. Tu as la même gueule que les élèves de collège quand ils trichent, qu'on les prend sur le fait mais qu'ils nient quand même… Le livre de grammaire est bien posé sur leurs genoux, la formule mathématique est bien écrite au Bic dans la paume de leur main, mais pourtant leurs yeux disent : « Non, non, non, je ne sais pas du tout de quoi vous parlez madame-euh… » Tu veux nier l'évidence, Pierre ? L'évidence de toutes les crasses que tu m'as faites ?

PIERRE : *(désemparé)* Mais quoi ? Quelles crasses ? De quoi tu parles ?… Qu'est-ce que tu voudrais que je te dise ?

ÉLISABETH : Tu pourrais avoir un peu de courage et me dire : « Babou, c'est vrai, pardonne-moi. C'est vrai… C'est vrai que je t'ai demandé de renoncer à ta thèse pour que je puisse écrire la mienne, et que bon, oui, j'ai repris ton sujet parce que tu avais pris de l'avance et que c'était pas la peine de gâcher les mois de recherches que tu t'étais tapés à la bibliothèque Sainte-Geneviève… Pardonne-moi… C'est vrai ma Babou que tu m'as beaucoup aidé au début, en corrigeant les copies à ma place et que je ne t'ai jamais remerciée, mince, pardonne-moi… C'est vrai que je t'ai suppliée de me faire des enfants parce que les enfants il n'y a rien de plus beau mais que je ne m'en suis quand même jamais occupé, enfin si, le dimanche soir, parfois, ça me prend, je joue un quart d'heure avec eux, je les énerve bien en faisant le fou, là, juste avant qu'ils aillent se coucher et qu'après je te les laisse sur les bras, surexcités, trempés de sueur, avec les cartables à préparer, les histoires à raconter, les doudous à retrouver, les pipis et les cauchemars et que je vais m'enfermer dans mon bureau, parce que bon, quand même, faut pas déconner, les chiards ça va cinq minutes mais je n'ai pas fini l'article hyperintéressant sur Derrida dans le dernier numéro de *Tel Quel*… Pardonne-moi, pardonne-moi je t'en supplie. C'est vrai ma Babou, c'est vrai tout ça. C'est vrai que j'ai un peu honte de toi, aussi, avec ton petit poste dans ton petit collège de ta petite banlieue, alors je trouve toujours mille et une excuses bidons pour que mes confrères, mes éminents confrères, avec leurs palmes académiques, leurs titres ronflants, leur chaire de littérature comparée et leur mépris généralisé pour le commun des mortels, te croisent le moins possible… Parce que ça ne joue pas en ma faveur, ça ne me fait pas briller cette épouse mal fagotée qui a quand même un gros cul, en plus, depuis la naissance du petit… Pardonne-moi, Élisabeth, pardonne-moi… » Alors qui va me demander pardon, à moi ? Qui va me demander pardon ? Pas toi, Pierre, visiblement. *(Une fois Pierre fusillé, elle se tourne brièvement vers Claude.)* Bon… Toi Claude, je ne te dis rien parce que tu sais déjà tout, même si l'inverse n'est pas vrai. *(Elle plante son regard dans celui de Vincent.)* Et toi Vincent ? Tu vas me les dire enfin, les mots que j'attends ? Tu vas reconnaître qu'on t'a tout passé depuis que tu es né, toi le fils à sa môman, le petit clown à son pôpa qui avait le droit d'être nul à l'école, qui avait le droit de sortir de table sans demander la permission, qui avait le droit de répondre, de découcher, qui avait tous les droits parce qu'il est tellement marrant Vincent, il est très éveillé pour son âge, ah ce qu'il est rigolo dans son petit costume de *cow-boy* ! oh ce qu'il est beau avec sa mèche rebelle ! et puis il joue drôlement bien au tennis, t'as vu ? C'est fou ce qu'il plaît aux filles, mais c'est que ça doit être fatigant d'être un petit *play-boy*, oh le chouchou ! il faudrait pas qu'il s'épuise en débarrassant la table, ta sœur va le faire ne t'inquiète pas mon gros bébé, ça la dérange pas, elle aime ça même, jouer la bonniche ta godiche de sœur, ne t'inquiète surtout pas mon petit Vincinou, on veille sur toi et tu peux faire toutes les conneries que tu veux, on te pardonne d'avance… Alors ça fait tilt, Vincent ? Oui ? Non ? Pas de pardon en perspective ? Parfait. C'est bien. On est tous pareils, alors, on est dans le non-pardon ce soir. Pas trop déçu, Pierre ? On devra faire avec, hein ? Tant pis, ça nous aurait libérés, sûrement, mais c'est comme ça. Alors moi je vais prendre mon aigreur, mon dégoût et ma rancune, et tous les quatre on va aller se coucher en vous laissant la vaisselle pour une fois. Pierre, tu es sur le canapé, tu y restes. Si les enfants pleurent, c'est pour toi. Moi, je vais prendre une boîte de Temesta et dormir pendant deux jours. Allez tous vous faire foutre et bonne nuit.

Elle quitte la pièce.

VINCENT : *(à Claude)* J'espère que tu es fier de toi.

ANNA : C'est bon, Vincent, n'en rajoute pas.

Un temps.

CLAUDE : Je vais rentrer.

PIERRE : T'es sûr que ça va ?

CLAUDE : Oui oui.

ANNA : *(à Claude)* Je vais te raccompagner.

VINCENT : Quoi ?

ANNA : Je prends le 4 x 4, tu as trop bu. Tu prendras un taxi.

VINCENT : Si tu franchis cette porte…

ANNA : Si je franchis cette porte tu feras quoi ? Tu me taperas dessus, comme sur ton pote ? *(Elle prend sa veste et son sac.)* À tout à l'heure quand tu seras calmé. Sinon c'est pas la peine.

Pierre les raccompagne. Des bises glaciales sont échangées. Anna et Claude sortent. Pierre referme la porte.

VINCENT : Non mais je rêve !

PIERRE : Vincent…

VINCENT : Non mais tu l'as entendue ? *(Pierre opine de la tête mollement. Il s'assoit.)* Mais qu'est-ce qu'elles lui trouvent, toutes, à ce mec ?!

Pierre hausse les épaules.

PIERRE : Je sais pas… Musicien…

VINCENT : Tromboniste ! Comment on peut jouer du trombone ? C'est quand même un instrument de fanfare, non ?

PIERRE : *(il s'assied et soulève la bouteille de rosé de Claude)* Tu en veux ?

VINCENT : *(il s'assied à son tour et lui tend son verre)* Elle veut l'avoir toute seule son gamin ? Très bien. Parfait. Qu'elle se démerde toute seule pour une fois ! On va bien se marrer ! *(Il boit une gorgée* *de rosé et grimace.)* Beurk… c'est celui de Claude ! Il est comme son vin, c'est un petit-gris… *(Nouvelle gorgée.)* C'est vrai quoi… il est sinistre. Tu l'as déjà entendu dire un truc marrant ?

PIERRE : Non… Mais c'est souvent comme ça les beaux-pères.

VINCENT : *(amusé malgré tout)* Enfoiré. *(Ils sourient tous les deux.)* Dire que j'ai fait exprès de perdre au poker pour lui filer un peu de fric !

Ils sourient à nouveau.

PIERRE : Je crois que je vais aller voir Babou. *(Pierre se lève.)* Tu veux rester un peu ?

VINCENT : Je vais aller à l'hôtel, t'embête pas.

PIERRE : Ne sois pas idiot, reste. Je vais voir Babou et je reviens.

Il sort et revient avec une couverture.

VINCENT : Merci… Mais c'est juste pour ce soir, alors.

PIERRE : Tu vas voir, il est très bon ce canapé. *(Il déplace les coussins. Vincent déplie la couverture.)* Je peux mettre le radiateur si tu veux.

VINCENT : Ça ira.

Il s'allonge.

PIERRE : T'es sûr ?

VINCENT : Oui, oui, ne t'inquiète pas, je suis très bien.

PIERRE : Tu veux que j'éteigne ?

VINCENT : Aïe !

PIERRE : Ça va ?

Vincent passe la main derrière son dos.

VINCENT : Je crois que j'ai retrouvé tes clés.

Il sort les clés de sous la couverture et les lui lance.

Pierre : Ah ! Génial ! Merci.

Vincent : Tu me donnes ta reconnaissance éternelle, alors ?

Pierre : Je te la prête. Je suis une pince, n'oublie pas. *(Ils se sourient.)* Essaie de dormir un peu, au moins.

Vincent : Toi aussi. *(Après une hésitation, ils se donnent une accolade.)* Bonne nuit, Sancho.

Pierre : Bonne nuit, Don Quichotte…

Ils se regardent un instant en silence. Puis Pierre tourne les talons vers le couloir.

Vincent : Pierre ? *(Pierre se retourne.)* Tu savais que Gary Grant était homosexuel ?

Pierre : Oui. Oui. Mais on dit Cary. Cary Grant.

Pierre fait un dernier geste de la main et quitte la scène. Vincent reste seul sur le canapé. Son regard tombe sur Adolphe de Benjamin Constant. Il finit par le prendre et commence à le feuilleter. Alors que la lumière baisse lentement, Vincent prend une dernière fois la parole.

Vincent : Cette nuit-là, le crâne lourd d'un impitoyable mélange grand cru-piquette, le dos broyé par l'épouvantable canapé de Pierre, tentant de lire les premières pages du roman de Benjamin Constant, je ne doutais pas que notre famille ait atteint une sorte de point de non-retour. Il me suffisait de me souvenir de certains mots prononcés et de certains coups portés, pour savoir qu'il y aurait un avant et un après, et que chacun d'entre nous garderait un souvenir contrasté de ce buffet marocain…

Pourtant, la vie reprit son cours et quand, quatre mois et six jours plus tard, Anna perdit les eaux au cours d'un conseil d'administration crucial en présence des fameux Coréens, aussi bien Babou, Pierre, maman que Claude se précipitèrent à la clinique pour faire la connaissance de notre fils… Mais voilà, il n'y eut pas de fils. *(Un temps.)* On ne dira jamais assez que l'échographie est une affaire d'interprétation, et que parfois, c'est ainsi, un petit doigt peut passer pour un pénis et qu'à partir de là, tout s'enchaîne inexorablement. En effet, après douze heures d'un combat acharné sous péridurale, Anna Caravati mit au monde, sous les yeux ébahis de son compagnon ému aux larmes (malgré le bonnet de plastique ridicule dont on l'avait affublé), une magnifique petite fille. *(Un temps.)* Passé la stupéfaction, passé ma bordée d'injures sur l'incompétence de l'Assistance publique, passé la certitude qu'il faudrait repeindre en rose la chambre bleue, et se taper de racheter l'intégralité des affaires du bébé, c'est tout au bonheur de tenir dans nos bras ce petit être tout neuf que nous nous sommes rendu compte que nous n'avions plus de prénom. Nous étions là, tous les deux essorés, pris de court comme jamais quand Anna a eu l'idée, la bonne idée, celle qu'il fallait avoir… Comme quoi, la mère de mon enfant est vraiment une fille formidable… Dans la salle d'attente, au milieu des infirmières et des cris, j'ai retrouvé tout le monde. Ils étaient là, le cœur battant, à me demander : « Alors ? Alors ? » J'avais une boule dans la gorge quand je leur ai répondu : « Alors c'est une petite fille, et elle va s'appeler Françoise. » Babou a éclaté en sanglots, Pierre a poussé un cri de joie, maman m'a serré longuement dans ses bras, et Claude, lui, m'a dit en me prenant la main : « C'est une idée formidable, Vincent. » *(Un temps.)* Et c'est là que sur le visage de mon ancien ami et nouveau beau-père, subrepticement, insidieusement, j'ai cru voir une grimace… Non, pas une grimace. Plutôt une petite moue.

FIN

Le Prénom

mise en scène de Bernard Murat

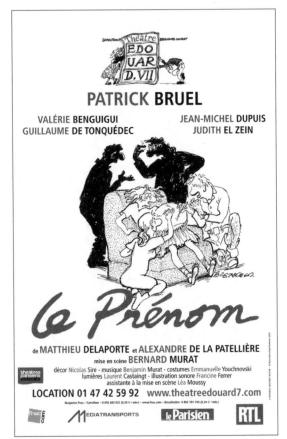

Dessin de Claire Brétecher. © Théâtre Édouard VII

Au premier plan, de gauche à droite : Bernard Murat, Judith El Zein, Patrick Bruel, Valérie Benguigui et Guillaume de Tonquédec. À l'arrière-plan : Léa Moussy, Nicolas Sire, Jean-Michel Dupuis, Alexandre de la Patellière, Matthieu Delaporte et Laurent Castaingt.

Vincent (Patrick Bruel).

Claude (Guillaume de Tonquédec) et Élisabeth (Valérie Benguigui).

Vincent (Patrick Bruel), Élisabeth (Valérie Benguigui) et Jean-Michel Dupuis (Pierre).

Vincent (Patrick Bruel) et Anna (Judith El Zein).

COLLECTION DES QUATRE-VENTS

CLASSIQUE

BOURDET Édouard, *Le Sexe faible*; *Les Temps difficiles*

EURIPIDE, *Médée* (traduction de Daniel Mesguich)

MACHIAVEL Nicolas, *La Mandragore* (texte français de Gilles Costaz)

DE FILIPPO Eduardo, *Homme et galant homme*; *Naples millionnaire* (textes français de Huguette Hatem)

DE MUSSET Alfred, *Histoire d'un merle blanc*

FEYDEAU Georges, *La Puce à l'oreille*

SCHWARTZ Evgueni, *Le Dragon*; *L'Ombre*; *Le Roi nu* (textes français de Simone Sentz-Michel)

STRINDBERG August, *La Danse de mort*

TCHEKHOV Anton, *Le Génie de la forêt* (texte français de Simone Sentz-Michel)

THOMAS Dylan, *Au bois lacté*

WILLIAMS Tennessee, *Un tramway nommé Désir,* suivi de *Tokyo Bar* (textes français de Jean-Marie Besset)

CONTEMPORAIN

AKOUN Nathalie, *Une histoire de clés*

AL JOUNDI Darina, *Le jour où Nina Simone a cessé de chanter*; *Ma Marseillaise*

ALÈGRE Jean-Paul, *Théâtrogrammes*; *Duo Dom-Tom*; *La Maladie du sable*; *Deux tickets pour le paradis*; *Côté courtes*

ANNE Catherine, *Pièce africaine,* suivi de *Aséta* et de *Et vous*

BENFODIL Mustapha, *Clandestinopolis*

BESSET Jean-Marie, *Un cheval*; *Perthus*; *R.E.R.*

BLOTNIKAS Sylvie, *Édouard dans le tourbillon*

BRÉHAL Nicolas, *Bonjour maîtresse*

Cet ouvrage a été achevé d'imprimer en septembre 2018
sur les presses de la Nouvelle Imprimerie Laballery, 58 500 Clamecy
pour le compte de la
Collection des quatre-vents
Dépôt légal : avril 2012
Imprimé en France
Numéro d'impression : 809313

La Nouvelle Imprimerie Laballery est titulaire de la marque Imprim'Vert

Directeur de la publication : Philippe Tesson
Directrice éditoriale : Anne-Claire Boumendil
Suivi éditorial : Amandine Sroussi

L'avant-scène théâtre

75, rue des Saints-Pères, 75006 Paris
www.avant-scene-theatre.com